Éternité

Éternité

Jess Rothenberg

Traduit de l'anglais (États-Unis) par Nathalie Azoulai

Pour Marjorie Grace, Claire Marie, et, bien sûr, Maman
(avec tout mon amour avec un grand A)

Love is a piano dropped from a four-story window,
and you were in the wrong place at the wrong time.

(L'amour est un piano tombé depuis une fenêtre du quatrième
étage, et vous étiez au mauvais endroit au mauvais moment.)

Ani DiFranco

Première partie

En cendres

Don't you (forget about me)[1]

Il y a toujours un garçon qui vous tient. Je ne parle pas du frère de votre meilleure amie qui, par définition, vous impressionne toujours, ni du petit gamin dont vous êtes la baby-sitter et qui s'accroche à vos jambes.

Non, moi, je parle de drame, d'épopée, de vie qui bascule, quand vous n'avez plus faim, plus sommeil, plus la tête à faire vos devoirs, quand vous ne savez plus que glousser bêtement, vous souvenir de son sourire. C'est vraiment ça que j'appelle « vous tenir ». Ce sentiment que votre grande sœur décrit dans son journal intime après une soirée avec son petit ami et que vous lisez en douce en espérant, en priant, en suppliant pour que ça vous arrive un jour et quand ça vous arrive, vous devenez complètement folle, vous perdez le sens des réalités et de tout ce qui a pu se passer dans votre vie avant qu'il y pénètre et y mette le feu.

Y a pas plus sournois que l'amour. Il pointe son nez au moment où vous vous y attendez le moins : quand vous vous retournez pour regarder vos belles petites

1. Les références des chansons qui apparaissent en titres des chapitres sont listées à la page 414.

fesses moulées dans votre nouveau jean, quand vous vous demandez qui a embrassé qui aux seize ans de votre meilleure amie, ou quand vous essayez de retrouver le fil d'une série dont vous avez manqué un épisode. En gros, quand vous n'y pensez pas.

Mais un matin, vous vous réveillez et la Vérité vous saute aux yeux : ce garçon, un garçon que vous connaissez depuis toujours et qui n'a pas le profil petit copain, un garçon que vous n'avez vraiment jamais trouvé mignon, un garçon qui ressemble à rien avec son éternel t-shirt de skateur, un garçon qui ne jure que par *Le Seigneur des anneaux* et le dragon qu'il rêve de se faire tatouer sur la jambe à dix-huit ans, eh bien, ce garçon-là est devenu le CTVP (Centre de Toutes Vos Pensées).

Le problème, c'est qu'il n'est absolument pas drôle de tomber amoureuse. Niet de chez niet. Tout ce que ça vous rapporte, c'est de vous sentir mal et folle et angoissée toute la journée et terrorisée à l'idée que ça finisse mal et que ça vous anéantisse jusqu'à la fin de votre vie. Et devinez quoi ? C'est exactement ce qui se passe !

D'accord, il sent merveilleusement bon. D'accord, vous fondez dès qu'il vous envoie un texto pour vous dire bonne nuit. D'accord, ses yeux sont d'un bleu… D'accord, il vous tient la main pour aller en cours de math, partage tous vos petits secrets inavouables, vous fait hurler de rire et recracher votre Coca Light en vous fichant complètement d'avoir l'air ridicule (alors que vous devriez parce que, effectivement, vous êtes ridicule). D'accord, quand il vous embrasse, le monde n'existe plus, votre cerveau s'éteint et vous n'en avez plus que pour sa jolie bouche.

D'accord, il vous dit que vous êtes belle et, comme par magie, vous l'êtes.

Mais attention flash info : tout ça va finir en désastre absolu, en cauchemar apocalyptique et va vous exploser au visage alors que vous n'en avez pas la moindre idée au moment où ça commence.

L'amour n'est pas un jeu. Les gens se mutilent à cause de lui, se jettent du haut de la tour Eiffel, vendent tout ce qu'ils possèdent pour aller vivre en Alaska avec les ours polaires où ils vont se faire dévorer et où ils pourront hurler de douleur sans que personne ne les entende. Je ne mens pas. Tomber amoureuse ou se faire dévorer par un gros ours polaire, c'est du pareil au même.

Et je sais de quoi je parle.

Pourquoi ? Je ne vous l'ai pas encore dit ? Eh bien, parce que ça m'est arrivé ! Pas de me faire dévorer par un ours, oh ! non, ça, vraiment, c'est rien. Ce qui m'est arrivé est bien bien pire.

J'avais quinze ans lorsque je suis morte d'un chagrin d'amour. Ne cherchez ni légende urbaine ni mythe là-dedans. Je vous parle d'une mort cent pour cent causée par un chagrin d'amour. Non, je ne me suis pas tuée. Non, je n'ai pas fait la grève de la faim. Même si j'ai attrapé une pneumonie en traînant mes larmes sous la pluie comme dans *Raison et Sentiments* alors que moi, je serais plutôt du style Kate Winslet. Mais là, je l'ai fait à l'ancienne. Oui, mon cœur s'est littéralement brisé en deux.

Je vous dis que je sais de quoi je parle. Je n'étais pas du genre à penser que quelqu'un pouvait vraiment mourir de ça moi non plus mais j'en suis la preuve vivante. Enfin, vivante, c'est beaucoup dire. Même si la plupart des gens expliquent ma mort soudaine par le souffle au cœur que j'ai depuis la naissance. Même si j'ai grandi sans problèmes, toujours en bonne santé, jamais malade, jamais dispensée de sport ou de trucs dans le genre. En fait, c'était même tout le contraire.

J'étais forte. Énergique. Une sorte de garçon manqué. J'ai même été sélectionnée dans l'équipe de plongeon du lycée alors que je n'étais qu'en Cinquième.

Mais peu importe. J'ai quand même eu le cœur brisé.

Je m'appelais Brie. Ouais, comme le fromage. C'est drôle. Tout le monde a toujours pensé que mes parents devaient être de grands amateurs de fromage pour appeler leur fille Brie sauf que leur fils, ils l'ont appelé Jack. En réalité, moi, je m'appelais Aubrie et mon frère, Jackson.

Je vivais dans le meilleur des mondes avant l'année de ma mort. J'habitais dans le plus bel endroit de la Terre, la Californie du Nord, à Half Moon Bay, une petite ville de bord de mer nichée entre les forêts de séquoias et le Pacifique, à quarante kilomètres au sud de San Francisco. Et, comme aire de jeux, moi, j'avais la plage.

J'avais la famille idéale : maman, papa, Jack et Salami, notre basset.

J'avais les meilleures amies idéales : Sadie Russo, Emma Brewer et Tess Hoffman.

Et j'avais le petit ami idéal : sportif, délégué de classe, sexy de chez sexy, Jacob Fischer.

Bref, avant ma mort, j'avais tout pour être heureuse et encore plus que ça.

Et heureuse, je l'étais.

Mais tout a basculé la nuit du 4 octobre 2010 quand j'ai senti une douleur me crever la poitrine et que je me suis effondrée sur la table devant Jacob.

Je ne suis jamais sortie de cette nuit.

Comme ça, d'un coup, boum. Ne repassez pas par la case départ. Ne touchez pas 200 dollars. Fin de la partie.

Ma vie.

Dans les deux premières heures de ma mort, je me suis revue en train de courir, plonger, grimper aux arbres, dévaler les collines de San Francisco à vélo à des vitesses illégales et j'ai pensé que tous ces excès avaient eu raison de moi. Mon cœur devait être plus faible que ce qu'on croyait. Je devais avoir un gros, gros problème de santé en fait. Un problème que même mon père n'avait su dépister alors que c'est un cardiologue de renommée mondiale.

C'était un lundi. J'avais bien choisi mon jour puisque tout le monde déteste le lundi. Au moins, je n'ai gâché son vendredi ou son samedi soir à personne. Belle attention, non ?

Deux jours plus tard, les voisins ont commencé à déposer toutes sortes de trucs devant notre porche. Des ragoûts, des quiches, etc. Quelqu'un a même déposé une dinde fumante, façon Thanksgiving avec croupion farci et tout et tout. Je crois que c'est ce qui se fait quand quelqu'un meurt : déposer des tas de victuailles devant la porte pour que la famille pense à se nourrir. Sauf que chez nous, on est végétariens, à l'exception de Salami qui a dû se régaler ce soir-là.

Jack s'est donné comme mission de vérifier chaque jour ce qu'il y avait devant la porte, d'autant que Salami avait pris l'habitude de tout manger tranquille dans son allée. C'est tout mon frère ça, de se désigner sans que personne ne lui demande rien. Il n'avait que huit ans quand je suis morte, et s'il n'a peut-être pas compris pourquoi je n'étais plus là, je suis certaine qu'il s'est au moins rendu compte que je ne reviendrais pas.

Oh ! son petit visage. Ses grands yeux verts, ses cheveux bruns et ondulés, comme les miens. Avec une petite fossette sur la joue gauche totalement craquante quand il rigolait, ce qui lui arrivait souvent.

Lui et moi, on a tout de suite été amis, dès l'instant où maman et papa l'ont ramené de l'hôpital et qu'ils me l'ont mis dans les bras. Y a la photo sur notre frigo : il est dans sa petite couverture bleue, avec un bonnet et moi, j'ai un pyjama Scoubidou et une queue-de-cheval. On a fait copain-copain à la seconde. Et puis il est le seul à me battre au jeu Puissance 4.

Ma cérémonie funéraire a été rude c'est sûr, mais le plus dur, ça a été de voir Jack regarder autour de lui, les yeux dans le vague mais sans pleurer.

Toute l'école est venue. Mon professeur d'anglais, Mme Brenner, une blonde peroxydée, qui est notre voisine depuis que j'ai six ans, était assise près de maman et lui tenait la main. Mon père portait une veste anthracite et la cravate que je lui avais offerte pour ses quarante ans, celle aux éléphants roses et violets. Il avait le visage dur, fatigué et, à ses cernes, je voyais qu'il n'avait pas dû dormir depuis des jours. Il était assis à la droite de maman, son bras lui entourant les épaules. Il se tenait, comme s'il avait peur de se laisser aller. Comme si maman allait se casser en mille morceaux. À moins que ce ne soit lui. Je ne pouvais pas quitter des yeux maman. Cette façon qu'elle avait de fixer la couronne de fleurs. Sa peau paraissait toute craquelée, comme si son chagrin avait infiltré tous ses pores. Et son parfum qui diffusait une légère odeur de rose dans l'espace entre elle et moi.

Maman.

C'était surréaliste d'être assise devant autant de gens. Je scrutais tous les détails en me demandant pourquoi la plupart d'entre eux n'avaient jamais daigné me dire bonjour de mon vivant. Mais bon, ils étaient là.

Aaron Winsley que je voyais en cours de géographie, qui ne faisait jamais ses devoirs et qui passait son temps à dessiner des requins sur son cahier. Lexi Rhodes qui se maquillait les yeux à l'eye-liner depuis la Troisième. Mackenzie Carter qui s'était prise de passion pour Jésus quelques étés plus tôt et qui n'en démordait pas. Me pensait-elle auprès de lui à présent ? Cette idée la consolait-elle ?

Des centaines d'enfants, d'amis, de parents et de professeurs remplissaient les rangées de l'auditorium du lycée de Pacific Crest où j'étais inscrite depuis la Sixième. Et puis je me suis souvenue : ce n'était pas la première cérémonie funéraire à laquelle j'assistais mais la seconde.

La première, c'était celle de Larkin Ramsey, une fille un peu plus âgée que moi, qui était morte dans l'incendie qu'elle avait déclenché en allumant une bougie dans sa chambre. Je n'avais pas parlé à Larkin depuis deux ans quand elle est morte mais nos familles fricotaient ensemble quand nous étions petites et nous étions alors de bonnes copines : on sautait sur son trampoline, on faisait des courses de patins à roulettes après l'école et des tas de choses dans le genre. Elle avait de magnifiques cheveux noirs et m'avait appris à me faire des tresses, ce qui avait multiplié mon coefficient de séduction d'au moins trente-neuf pour cent.

Puis, quand elle est entrée en Troisième et moi en Cinquième, on s'est disputées au sujet d'un truc bidon duquel je ne me souviens même plus, et on s'est éloignées. Je me suis passionnée pour le plongeon et elle, pour la photo, chacune faisant ses affaires dans son coin. Et pour finir, au collège, elle n'était plus pour moi qu'un visage parmi les autres.

J'ai eu vraiment du chagrin en me rappelant tous mes bons souvenirs avec elle mais la vérité, c'est que parfois les amies entrent dans votre vie et en sortent comme les accessoires de mode qu'on aime une année et qu'on rejette l'année suivante.

Des histoires de filles, n'est-ce pas, Jacob ?

Je me souviens du matin où j'ai appris la nouvelle pour Larkin. Notre entraîneur avait fait venir l'équipe à six heures et je remontais d'un plongeon, un quasi parfait twist depuis le trois mètres. Quelques-unes de mes coéquipières chuchotaient comme des folles près des casiers. Du coup, je suis sortie du bassin pour aller voir ce qui se passait. Je sentais encore la poussée d'adrénaline dans mon corps pendant que je retirais mon bonnet.

– Hé ! Mo, qu'est-ce qui se passe ? Les Cyclones se dégonflent avant le championnat ou quoi ?

À son regard, j'ai compris que je n'y étais pas du tout.

– Il y a eu un incendie hier soir, a-t-elle dit. Une fille de Première est morte. Une de tes vieilles copines, je crois. Larkin Ramsey.

Ma serviette m'est tombée des mains. Elle a posé une main sur mon épaule alors que toutes les autres filles me dévisageaient.

Je me souviens encore du nœud qui s'est formé dans mon ventre en entendant les mots de Morgan.

Et des gouttes d'eau qui ruisselaient dans mon dos comme des larmes.

Ma vieille copine. Larkin Ramsey.

Et nous sommes toutes allées à ses funérailles. Mais qui aurait pu penser qu'à peine deux ans plus tard, nous serions de nouveau assises dans cette salle et cette fois pour les miennes ?

Les mêmes lumières blanches éclairaient toute la pièce et une grande photo de moi, d'au moins trois mètres de haut, trônait sur l'estrade. Une photo prise à peine six mois plus tôt chez Judy, le restaurant où on avait fêté l'anniversaire de Jack. Je portais un pull bleu sur ma chemise grise avec les tournesols, et j'avais les cheveux relevés en demi-queue avec des barrettes à paillettes bleues. Papa avait dû la prendre sans que je le voie en balançant une de ses mauvaises blagues qui me faisaient éclater de rire. Pas tout à fait la photo de moi que je préfère mais au moins je n'avais ni pustule sur le nez, ni salade dans les dents, ni rien qui aurait pu me faire honte. Mais bon, c'était vraiment bizarre de voir mon visage en grand comme ça, devant les centaines d'yeux de l'auditorium.

Et puis est venu le moment où chacun a raconté ses souvenirs. Mon professeur de chimie, Dr O'Neil, a raconté le jour où j'avais presque mis le feu à ma paillasse en essayant de confectionner un aimant électrique à cause d'une simple erreur de calcul et comment je me portais toujours volontaire pour aider les petits à faire leurs devoirs après les cours.

Mon professeur de plongeon, Trini, s'est levé avec mes deux coéquipières, Alli et Mo, pour raconter notre match de l'an dernier contre l'équipe de San Mateo où j'avais réussi à la dernière minute un piqué avant qui nous avait donné la première place et sélectionnées pour les championnats régionaux. Alli a dit que j'étais toujours la première dans l'eau et la dernière à sortir. Mo a parlé de ma connaissance encyclopédique de la musique, surtout celle des années 80, et ajouté que j'allais beaucoup manquer à toute l'équipe.

Mon professeur d'espagnol, Mme Lopez, s'est avancée dans une de ses fameuses robes en lin pour dire qu'une fois, j'avais traduit en espagnol tout un épisode de *Friends* et que j'avais chanté *Smelly Cat (Gato maloliente)* devant toute la classe. Elle s'est même mise à chanter un bout de la chanson, ce qui a fait rire tout le monde, y compris mes parents.

En fait, toutes les histoires étaient drôles. Tous les souvenirs étaient doux. On aurait même pu oublier qu'on était à un enterrement et que quelqu'un venait de mourir. Ce n'était ni morbide, ni déprimant, ni glauque. C'était au fond très agréable d'entendre les gens dire qu'ils m'aimaient. Je ne sais pas pourquoi je m'étais tant inquiétée, pourquoi j'avais pu penser que ce serait trop dur à regarder. C'était léger comme un anniversaire ou une fête. Et pour le coup, c'était moi la star.

Ensuite Sadie, Emma et Tess se sont levées. Elles sont allées vers l'estrade en se tenant par la main. Elles avaient l'air si jeunes. Si vivantes.

Jolie petite brune, Sadie portait la bague que je lui avais offerte pour ses treize ans. Les longs cheveux blonds d'Emma tirés en arrière laissaient voir ses yeux rougis par les larmes. Quant à Tess, avec sa tignasse rousse et ses taches de rousseur, elle tenait un lis dans sa main gauche. Ma fleur préférée.

C'était dingue de les voir toutes les trois sans moi, ça déséquilibrait l'univers. Les initiales de nos quatre prénoms formaient le mot BEST et quand nous étions petites, papa nous avait surnommées les quatre terreurs sauf que là, il manquait la quatrième.

Elles ne pouvaient pas savoir que j'étais assise sur l'estrade, à les regarder, à quelques mètres à peine. Que j'avais envie de leur dire que tout irait bien, même si je n'en étais pas sûre. Mais les morts ne parlent pas, c'est bien connu.

Mes amies se sont regardées en prenant leur souffle. Puis Sadie s'est mise à chanter. De sa voix unique. Merveilleuse.

« Je me souviendrai de toi. Te souviendras-tu de moi ?

Ne laisse pas la vie t'emporter. Ne pleure pas sur les souvenirs. »

Sa voix a tenu sur le mot souvenir, sa belle voix de soprano. Emma et Tess se sont jointes à elle par le chant et l'étreinte. Mes trois amies devant le vaste monde. Leur harmonie poignante faisant vibrer le silence recueilli de la salle.

Mon Dieu.

Ma mère s'est mise à pleurer et à trembler de tout son corps. Papa se tenait toujours mais les larmes coulaient sur ses joues. Maman serrait Jack qui regardait droit devant lui avec des yeux hagards. Le visage de maman enfoui dans ses cheveux. Les premières paroles de la chanson avaient suffi à chavirer l'assemblée. Les professeurs, les amis. Des enfants que j'aimais, des enfants que je détestais, d'autres que je ne connaissais pas. Ils pleuraient tous.

Pour moi.

Et puis je l'ai aperçu. Avec ses cheveux bruns, longs, hirsutes. Avec ses yeux bleu acier qui fixaient le lino blanc. Avec son cardigan North Face contre lequel je m'étais si souvent blottie. Ses lèvres parfaites. Des lèvres que j'avais embrassées chaque jour pendant onze mois. Il s'est glissé au fond de l'auditorium, tel un fantôme. Sauf que ce n'était pas un fantôme.

Moi, si.

Et puis je l'ai perdu de vue.

Chapitre 2

Take another little piece of my heart now, baby

En me redressant sur mon brancard à roulettes, j'ai attrapé ma fiche, celle qu'ils remplissent juste après votre mort, et j'ai vu que le médecin y avait griffonné l'heure de mon décès, 20 h 22, suivie de trois mots que je n'oublierais jamais : *cardiomyopathie congestive aiguë.*

En d'autres termes : crise cardiaque.

Je ne le savais pas à ce moment-là mais ce médecin avait tout faux. Mon cœur n'avait pas lâché, il s'était brisé.

D'abord, je m'en suis terriblement voulu. J'aurais dû faire attention. J'aurais dû aller chez le docteur plus régulièrement, faire des check-up, prendre des médicaments et ne pas forcer sur les plongeons comme une folle. Parce qu'au moment où je me suis redressée et où j'ai réalisé que j'étais partie, j'aurais fait n'importe quoi, vraiment n'importe quoi, pour avoir une seconde chance. C'était comme si on m'avait menti. Tout le monde m'avait promis que j'aurais une belle vie, une bonne santé, une vie normale quoi. Papa surtout.

Mais quand j'ai vu les médecins et les infirmières s'agglutiner autour de ma radio, le doute m'a saisie. Ils regardaient, murmuraient, montraient, discutaient.

– Qu'est-ce qui se passe ? ai-je dit.

Personne ne m'a répondu alors je suis allée vers l'écran lumineux, sans me laisser intimider par leurs blouses blanches ou leurs stéthoscopes et j'ai regardé.

J'ai vu beaucoup de radios dans ma vie car papa en apportait à la maison pour nous tester Jack et moi sur notre connaissance de l'anatomie cardiaque mais là, c'était comme si c'était la première. Aucune radio, aucun cœur ne ressemblait à ce que je voyais. J'avais vraiment un gros problème.

Puis j'ai tourné le dos à la radio qui continuait à darder sur moi sa menace et j'ai compris qu'ils avaient tous faux : ce n'était pas mon souffle au cœur qui m'avait tuée mais mon chagrin d'amour.

En un instant, toute la soirée a défilé devant mes yeux, déversant sur moi une pluie de souvenirs qui m'a fait tituber. Je me suis raccrochée au bras d'un docteur mais ma main a glissé et je suis tombée par terre sans qu'il puisse rien y faire.

Soudain je me suis rappelé ce que Jacob m'avait dit à table. Les derniers mots que j'avais entendus de mon vivant. Les cinq mots les plus terribles de la langue : Je ne t'aime pas.

Juste avant que tout tourne autour de moi, juste avant que tout s'éteigne. Juste avant ce coup violent, lancinant qui m'a crevé la poitrine.

J'ai mis ma main dessus et j'ai écouté. J'ai guetté le battement régulier, le boum boum de mon cœur mais rien. Il n'y avait rien.

– Un cœur ne s'arrête pas comme ça, a dit l'un des docteurs.

Hum, on parie ?

Je leur aurais bien demandé de s'asseoir pour leur expliquer si j'en avais eu le temps.

Si seulement ils avaient pu se mettre dans ma peau cette nuit-là et entendre ce que j'ai entendu, ou senti ce que j'ai senti, ils auraient pu comprendre qu'on peut mourir comme ça. Si seulement ils avaient pu remiser leur science et leurs diplômes de médecin un instant en pensant avec leur cœur et non avec leur tête. J'aurais pu éviter qu'ils n'ouvrent mon corps pour voir dedans et l'évidence de ma radio leur aurait sauté aux yeux.

– Vous n'allez pas en revenir, ai-je dit tandis qu'ils m'emmenaient sur le fauteuil roulant et appuyaient sur le bouton de l'ascenseur M, direction la Morgue.

Cet endroit où personne ne veut finir. Rien de plus glauque qu'une morgue mais croyez-moi, quand c'est vous qu'on emmène, que tout le monde vous scrute et que vous êtes là, froide, raide et nue comme un ver, alors c'est encore pire. Pourtant ce n'était pas moi qu'on emmenait vraiment, mon vrai moi, lui, était assis sur une autre table de la salle, en train de balancer ses jambes contre le cadre en métal et de se ronger les ongles. En les regardant. En attendant. En priant pour que quelqu'un daigne m'écouter.

– Que voulez-vous de plus ? ai-je crié. Ça ne vous suffit pas ce que vous voyez sur la radio ?

Eh bien non. Je les aurais maudits. Cette manière de violer mon intimité. Des étrangers prêts à me découper de haut en bas pour aller voir et fouiller tous mes secrets.

Mon cœur brisé, c'était *mon* affaire, pas la leur.

Tout ça à cause de mon père qui voulait comprendre. Mon père et sa science pour qui ma mort restait une énigme. Il avait besoin d'aller y voir de ses propres yeux. Malgré ma mère qui le suppliait de ne pas le faire, de ne pas me découper en morceaux, mais il refusait d'enterrer sa fille sans connaître la vérité.

Malheureusement pour moi, il n'y avait qu'un seul moyen de la connaître. Et finalement, il a fallu qu'ils me découpent en tranches pour que moi aussi je croie ce qui m'arrivait.

Je n'ai pas pu regarder quand le médecin a commencé à inciser. J'ai fermé les yeux très fort et j'ai retenu mon souffle quand j'ai senti la lame appuyer doucement pour entrer dans ma poitrine.

Ils m'ont ouverte. Tout entière. Dans les moindres recoins. Ils ont regardé à l'intérieur, tout au fond avec leurs yeux de fouine. Ils ont pris des tas de mesures, noté chaque observation mais aucun de leurs efforts ne m'éclairait. Et quand finalement ils sont arrivés jusqu'à ma cage thoracique pour déloger mon petit cœur, je crois qu'à ce moment-là, leur propre cœur a flanché.

Il était exactement comme sur la radio, scientifiquement inexplicable mais pile-poil comme dans les chansons d'amour à trois sous. J'ai regardé mon cadavre par-dessus l'épaule de mon père et moi aussi, je l'ai vu. Mon cœur. Endormi, silencieux, parfaitement brisé en deux.

Chapitre 3

Cheese stands alone

On m'a enterrée deux jours après la cérémonie. Vous connaissez le malaise qu'on éprouve quand le week-end, ces deux jours de liberté magiques, exta-tiques, est terminé ? Quand, le dimanche soir, vous entendez le générique de fin du journal télévisé et que vous réalisez que vous n'avez même pas encore commencé vos devoirs ?

Eh bien, c'était pareil, en cinquante mille fois pire. Comme si c'était le dernier dimanche de toute votre vie.

Maman avait demandé à Sadie de choisir ma robe préférée et les chaussures que je mettais dans les grandes occasions à cause de son talent inné de styliste. Ma robe dos nu en coton mauve foncé avec des fleurs violettes et blanches. Mes ballerines noires toutes simples que j'adorais parce qu'elles scintillaient au soleil, même si là où j'allais, il n'y avait pas beaucoup de soleil.

Elles ont décidé de laisser mes cheveux lâchés façon Ophélie. J'avais failli me les faire couper pen-dant l'été mais en me voyant comme ça, j'ai été bien contente de ne pas l'avoir fait. Pour finir, les filles ont demandé à maman et papa de m'enterrer avec mon pendentif en or en forme de cœur, l'un des quatre qu'on avait achetés ensemble dans cette si jolie boutique de San Francisco, le Rabbit Hole, juste avant d'entrer au collège.

Je me souviens de ce jour-là dans ses moindres détails.

On avait discuté des résultats d'un test capital, *Quelle princesse de Disney êtes-vous ?*, en n'en revenant pas de leur exactitude scientifique.

Le maximum de A : Sadie était la princesse Jasmine. Elle était à la fois splendide et exotique, sa mère étant israélienne et ancien mannequin qui plus est, et capable en plus de chanter *Ce rêve bleu* comme personne.

Le maximum de B : Emma était Aurore, la Belle au bois dormant. C'était tout elle parce que primo, elle était blonde, deuxio, elle dormait tout le temps, tertio, toujours si douce que les oiseaux lui faisaient cortège.

Le maximum de C : Tess était Ariel, ça lui allait à merveille à cause de ses longs cheveux roux et de son béguin pour un garçon qui s'appelait Eric. Sans compter qu'en primaire, elle avait eu un bernard-l'hermite chez elle. Quoi de plus Ariel que ça ? (En fait, j'ai un doute.)

Quant à moi, avec un maximum de D, j'étais la Belle de *La Belle et la Bête*. Quoi de moins étonnant puisque déjà toute petite, avec ma tignasse hirsute, j'aimais en découdre avec les garçons. D'autant que je dévorais les livres et que je nous voyais déjà en primaire partir toutes les quatre faire un trekking en Europe.

Je leur disais tout le temps qu'il y avait sûrement autre chose à vivre que cette vie provinciale.

Quand on a eu braillé chacune notre solo Disney, on est tombées sur le Rabbit Hole, une toute petite boutique qui ne payait pas de mine au milieu de Mission District, qui vendait des vêtements vintage dans le genre gants en dentelles, vieux chapeaux de paille, bijoux anciens, théières en porcelaine. Tout un tas de choses inimaginables qui vous tendent les bras au premier coup d'œil. Comme nos colliers.

Les chaînes étaient les mêmes, en or fin, ni trop longues ni trop courtes, mais chaque pendentif était différent. Celui d'Emma, c'était un petit oiseau (voir ci-dessus son truc avec les oiseaux), celui de Tess une sirène, et celui de Sadie, une petite étoile en or. Son grand rêve, c'était d'aller à Juilliard pour devenir une grande actrice et j'étais sûre qu'elle y arriverait. C'était une fille incroyable qui avait le don de tout vous rendre merveilleux et facile. J'aimais Tess et Emma comme des sœurs mais avec Sadie, j'avais un lien unique. C'était plus qu'une sœur ou une meilleure amie, c'était mon âme-sœur.

Mon pendentif à moi, c'était un petit cœur parce que j'étais de loin la romantique la plus indécrottable et la plus fleur bleue de nous quatre, du genre à penser que dans la vie, on finit toujours par trouver son prince charmant. En tout cas, j'en étais sûre pour moi. La bonne blague !

Donc j'étais vraiment contente de porter mon pendentif. Il me rappellerait mes amies et ma maison. Il était doux sur ma peau et rassurant. Surtout quand ils ont fermé mon cercueil.

« … tu es née poussière et tu… »

Attendez !

« … redeviendras… »

S'il vous plaît !

« … poussière. »

Non, s'il vous plaît, arrêtez !

« Qu'elle repose en paix… »

Adieu l'auditorium, adieu la lumière. Adieu ma maison, adieu l'air, adieu la chaleur humaine, les sentiments, les étreintes. Adieu la vie.

Et soudain, j'ai eu peur.

La foule prenait la direction de la sortie quand Jack s'est avancé vers l'estrade. Il a tiré sur la robe du pasteur.

– Je peux dire quelque chose ?

L'homme a acquiescé. C'est drôle de penser qu'un type que je n'ai pas connu soit ainsi chargé de m'envoyer aux oubliettes.

Jack a regardé tous les membres de l'assemblée avec leur panoplie de lunettes de soleil, de mouchoirs en papier et de chaussures crottées par la boue du cimetière. À côté d'eux, Jack paraissait minuscule. Un petit homme dans son petit costume. J'aurais voulu courir vers lui. L'attraper et l'emmener jusqu'à la maison.

Il s'est mis à pleurer. Papa l'a rejoint pour l'aider à faire son discours qui commençait par « Mon petit Cheddar », un de mes surnoms fromagers. Je les ai regardés encore une fois. Maman, papa et Jack. Trois petits canards en rang d'oignon. Trois canards au lieu de quatre. J'ai baissé les yeux.

Je ne rêvais pas.

Ma place était vide. Là où il y avait eu la vie, il y avait le vide. Un trou dans la terre.

Ô mon Dieu !

Je ne voulais vraiment, vraiment pas y aller. Mais bon, j'y suis allée.

Chapitre 4

Excuse me while I kiss the sky

Je tombais. En chute libre dans le temps, l'espace, les étoiles, le ciel. Je suis tombée pendant des jours, des semaines, une éternité. À en oublier même que je tombais.

Quand j'ai atterri, le monde m'a présenté un lit immense, un océan de draps doux, de couvertures chaudes et d'oreillers douillets. J'ai dormi dans un abîme de rêves et de souvenirs. Je revoyais des images de villes, de canyons, de voyages en famille, d'anniversaires, de genoux écorchés et de matins de Noël. Mes meilleurs amis, mes spectacles de fin d'année, mes courses en patins à roulettes. Mes premiers rendez-vous. Mes premiers baisers. Mon premier amour.

Puis, venant du fond de ma poitrine, j'ai senti une douleur me lancer. Un vide étrange. Une douleur à la place de mon cœur.

J'ai ouvert les yeux.

Deuxième partie

Chapitre 5

The long and winding road

Le noir absolu. Un tourbillon m'emportait où défilaient les arbres, les falaises, l'océan dans une rafale de petits flashs, comme lorsque vous zappez trop vite. Mon visage heurtait des blocs de glace, ça sifflait, ça crissait de partout. J'étais assise sur un siège qui tanguait et répercutait dans mon dos chaque secousse.

Ça tanguait, tanguait, tanguait.

Je me suis relevée. J'ai décollé mon visage de la fenêtre.

Wouah.

Tout mon corps était meurtri. Comme si j'avais couru un demi-marathon ou participé à cinq séances de cardio-boxing sans m'arrêter. J'ai touché ma joue et j'ai senti qu'elle était mouillée. Berk. Je m'étais bavé dessus. Je me suis frotté les yeux, j'ai levé les bras et je me suis étirée. Mon estomac a lâché un énorme borborygme.

– Cinq minutes d'arrêt, a lancé un haut-parleur.

J'ai aperçu un vieil homme dans le rétroviseur. Grosses lunettes, crâne chauve, peau ridée, veste bleu marine. Il devait avoir cent cinquante ans. Trop vieux pour conduire un bus.

Attendez une seconde...
Pourquoi suis-je dans un bus ?

Un bus où j'étais seule, au milieu de rangées de sièges vides. Dans l'angoisse, mon pouls battait à toute vitesse ou était-ce mon cœur... Mais non, pas mon cœur justement. J'ai mis ma main sur ma poitrine et je n'ai rien senti. Le vide. Le néant.

– Euh, excusez-moi ? ai-je dit d'une voix tremblante. Monsieur, où suis-je, s'il vous plaît ?

– En transit pour NoCal.

Des ombres s'imprimaient sur son visage tandis que nous filions sur l'autoroute.

– Plein sud vers Coyote Point Park, a-t-il ajouté.

Coyote Point Park ? C'était à vingt minutes de chez moi. J'ai regardé par la fenêtre pour reconnaître le paysage mais il faisait trop noir et nous allions trop vite. J'ai essuyé la buée sur la vitre mais je n'y voyais pas plus.

– Qu'est-ce que je fais là ?

Il a ri.

– C'est à moi que tu demandes ça ? a-t-il dit de la même voix ironique que celle de mon grand-père Frank. Sauf que je n'étais pas d'humeur.

– Attendez une seconde.

J'ai cru reconnaître quelque chose. Était-ce un phare ? Peut-être Pigeon Point, là où papa nous emmenait jouer au Frisbee ? J'ai appuyé mon front contre la vitre. Mais oui, c'était bien ça !

– Monsieur ? Pouvez-vous m'emmener chez moi, s'il vous plaît ? C'est juste à côté. Mes parents vous paieront la course, je vous le promets !

Il n'a pas bronché.

– Monsieur ? ai-je redit en m'approchant de lui mais les cahots de la route m'ont projetée en arrière.

Ça tanguait, tanguait.

J'ai essayé encore de remonter l'allée du bus, en m'accrochant aux sièges. Mais mes chaussures étaient comme collées au sol, comme si on avait renversé du soda et oublié de nettoyer. Je suis enfin arrivée jusqu'au siège derrière lui, un peu groggy par tout ce tangage.

– Excusez-moi, ai-je dit plus fort. Je vous ai demandé de me déposer chez moi. C'est au numéro 11 de Magellan Avenue, juste après Cabrillo.

– Je ne suis pas autorisé à faire des arrêts non réglementaires.

Une nouvelle angoisse m'a saisie. Comment allais-je rentrer chez moi ? Je n'avais ni portable, ni argent, ni rien.

– Où sont les autres ?

Et ça tanguait, tanguait, tanguait.

– Tous descendus.

– Combien de temps ai-je dormi ?

– Longtemps.

– Pourquoi vous ne m'avez pas réveillée ?

– Ce n'est pas mon problème, a-t-il dit en reprenant son micro. Terminus, deux minutes d'arrêt.

Un larsen ultrastrident a jailli du haut-parleur. Je me suis bouché les oreilles. Nous avons continué à rouler en silence dans la nuit noire puis le bus a ralenti. Les pneus ont crissé sur les graviers d'un parking surmonté d'un néon rouge. J'ai encore essuyé la fenêtre embuée pour lire l'enseigne du néon.

Quoi ? Attendez !

En un instant, ma tête a été bombardée d'images, de sons et d'odeurs familiers. Une tornade de douleurs cuisantes, d'étoiles filantes et de trous noirs. Des rires, des larmes et les échos d'un garçon qui me criait quelque chose au-dessus d'une moto accidentée. Mon cerveau allait exploser.

Creuser.

Laissez-moi sortir d'ici.

Gratter.

Au secours.

M'agripper.

Je vous en prie.

Le silence et l'obscurité absolus.

Infinis.

La voix du vieil homme m'a ramenée à la réalité.
– On y est. Tout le monde descend.
Je tremblais mais je n'avais plus mal.
– Où suis-je ?

Nulle part. Je ne suis nulle part.

– Terminus.
Il a appuyé sur le levier jaune et la porte s'est ouverte en grinçant. Une bouffée d'air frais s'est engouffrée dans le bus, charriant un parfum d'océan et de fleurs sauvages que je connaissais bien sauf que s'y mêlait autre chose. Comme une odeur de crasse. J'ai croisé les bras sur ma poitrine en regrettant de ne pas avoir de gilet.

Non, mon cardigan à capuche.
Celui avec les petits pingouins.

J'avais encore une question mais quelque chose me disait que je n'en aimerais pas la réponse.
– Monsieur ?

Éternité

Ses yeux charbonneux se sont fichés dans les miens alors que j'essayais de reprendre mon souffle.

– Où sommes-nous arrivés ?

– Bienvenue en éternité, a-t-il répondu en regardant dehors.

Chapitre 6

Ooh heaven is a place on earth

Je ne savais pas vraiment à quoi pouvait ressembler l'Au-delà mais je m'attendais au moins à y trouver de gros nuages cotonneux, des nénuphars géants, des chiots au pelage doré galopant dans le sillage d'un étalon noir. Mais ce n'était pas exactement ça.

Je suis descendue du bus et j'ai regardé tout autour. Bon, on n'était plus sur Terre. Enfin, ça ressemblait à la Terre, ça sentait comme la Terre, ça sonnait comme la Terre mais en beaucoup plus doux, plus sucré, comme si l'air était nappé de sirop d'érable ou de nectar de potiron. Le bus s'est éloigné, me laissant m'enfoncer dans ce parking sans gilet ni téléphone ni personne. Et petit à petit, j'ai senti autre chose pointer dans cette odeur sucrée, quelque chose de plus aigre et de plus délétère. Un arrière-goût. Un parfum de fleurs mortes. De roses mortes très exactement. Comme celles qu'il y avait à mon enterrement. Comme celles qu'on avait jetées sur mon cercueil. J'entendais encore le cliquetis des épines qui tombaient sur la paroi en chêne et je me souvenais de la façon dont cette odeur s'était transformée au fil des heures, des jours et des semaines qui s'étaient écoulés.

Nauséabonde, putride, suave.

Plus j'y pensais, plus cette odeur me gagnait. Je la sentais sur ma langue, dans mon nez, ma gorge. J'ai eu envie de vomir. Mais à vrai dire, il n'y avait que du vide en moi. Ça n'avait pas d'importance et j'ai quand même vomi. Je me suis tordue sur le bitume en toussant et en m'étranglant, les graviers et la poussière s'infiltrant dans mes yeux, mes cheveux, mes poumons. Et j'ai attendu que ça passe. Tout mon corps était à vif, comme si l'univers avait explosé à l'intérieur de mon crâne. Mon corps meurtri se déchirait dans l'espoir de se recomposer, de recomposer un semblant de moi.

La crise de vomissements passée, je suis restée allongée au sol, traversée par de drôles de souvenirs. Le petit nez retroussé de Jack quand il souriait. Salami qui aboyait et qui pétait dans son sommeil. Le bouillonnement du Pacifique.

C'était comme si j'étais partout et nulle part à la fois. J'avais douze ans, je roulais dans la décapotable rouge de mon père sur l'autoroute en chantant un air des Beach Boys. J'avais neuf ans et je jouais à asperger Sadie, Emma et Tess avec le tuyau d'arrosage pendant que Salami nous courait après en mordillant nos bikinis. J'avais quinze ans, je filais à vélo jusqu'à la plage de Mavericks avec Jacob, le dernier soir de l'été. Cette nuit où il a pris mon visage entre ses mains pour me dire qu'il m'aimait.

Une intense sensation de chaleur m'a forcée à ouvrir les yeux mais je sentais mes pupilles se dilater puis se contracter de nouveau. Tout était noir. Puis une lueur rouge a percé l'obscurité, m'invitant à la suivre. De l'autre côté du parking, j'ai aperçu la source de la lumière : le fameux néon rouge qui faisait clignoter ses cinq mots dans la nuit noire.

« Un petit coin de paradis »

Les cendres au fond de ma gorge me picotaient. Était-ce là l'enseigne de la pizzeria ? Je suis restée tétanisée sur l'asphalte. C'était bien l'endroit où avec ma famille, on venait déguster nos pizzas favorites et que tout le monde dans les environs appelait le Coin. Une tradition ancestrale chez les Eagan malgré le carrelage douteux et la déco très années 70 du restaurant avec ses sièges à rayures orange et marron, rafistolés ici et là de vieux morceaux de Scotch. Ce n'était pas seulement la meilleure pizzeria au sud de San Francisco. C'était la meilleure de toute la côte Ouest. Et peut-être même du monde entier. Avec en plus une vue sur l'océan à tomber par terre. Une vue que papa qualifiait toujours de « paradisiaque ».

Ce n'est qu'un cauchemar, me disais-je. Je suis dans mon lit, en toute sécurité, bien au chaud. Salami dort à côté de moi. Jack est en bas. Tout va bien.

Mais alors pourquoi faire un tel cauchemar ? Avais-je mangé quelque chose d'avarié ? Étais-je angoissée par mon contrôle d'histoire ? Ou avais-je simplement oublié de me brosser les dents ? Non, c'était à cause de Jacob. Je m'étais disputée avec Jacob.

J'ai fouillé mes poches. Elles étaient vides. J'ai cherché des yeux une cabine téléphonique. Je devais l'appeler. Il devait sûrement regretter. Il ne voulait pas dire que… Mais mon estomac s'est tordu de nouveau. Wouah… J'avais une faim de loup. Lentement, très lentement, je me suis remise debout. J'ai mis un pied devant l'autre pour avancer vers l'entrée mais chacun de mes pas m'éloignait de mon ancienne vie, de mes amis, de ma famille, me rapprochant de plus en plus du néon rouge. Quand je me suis trouvée juste devant, j'ai regardé par les fenêtres. Le Coin avait l'air parfaitement normal avec son sol craquelé, son éclairage glauque, ses ventilateurs couinant au plafond, sa peinture jaune écaillée, les boîtes de pizza empilées dans le fond. Je n'ai pas regardé la table où, avec ma famille, on avait l'habitude de s'asseoir mais j'ai quand même eu l'impression qu'ils étaient là : maman en train de rire quand papa et Jack s'amusaient à faire la course avec des sachets de sucre. J'ai eu envie de pleurer.

Je vais bientôt les revoir.
Je serai bientôt à la maison.

Je ne voulais pas vraiment entrer à l'intérieur mais avec mon estomac affamé et le peu de possibilités que j'avais, c'était la seule chose à faire. Et cette odeur de pizza chaude était à mourir. J'ai inspiré profondément et je suis entrée. Aussitôt j'ai reconnu le fumet de la sauce tomate, de la pâte croustillante et de la mozzarella fondue. Un délice. Et une sensation de douce chaleur.

Miam-miam.

Sur ma droite, j'ai vu une fille de mon âge en train de feuilleter un magazine. Une sorte de princesse punk typiquement californienne avec des cheveux blonds bouclés, des lunettes noires et un bras couvert de bracelets qui cliquetaient quand elle tournait les pages.

En face d'elle, il y avait un petit garçon qui portait un sweat-shirt Harvard, un peu plus jeune que Jack. Son visage mangé par les taches de rousseur et collé à sa DS affichait une sorte de transe virtuelle. Il m'a fait de la peine, surtout ses deux petits pouces affolés par le clavier. Il était vraiment trop jeune pour finir tout seul dans un endroit pareil.

Plus loin se tenait une fille arborant un chapeau à fleurs qui lisait un roman d'amour à trois sous et, à trois tables d'elle, un garçon habillé en footballeur qui discutait avec une fille aux cheveux violets et au rouge à lèvres noir.

Bizarre...

Je n'avais jamais vu ces gamins avant. Je ne reconnaissais aucun visage alors que j'avais passé ma vie dans cette pizzeria. C'était vraiment étrange de découvrir cette assemblée d'inconnus d'autant qu'aucun d'eux ne semblait m'avoir remarquée. Je me suis avancée jusqu'à une table où traînait un numéro du magazine *Boule magique numéro 8* et j'ai souri. Ça au moins, je savais ce que c'était.

Les propriétaires du restaurant avaient le don de collectionner toutes sortes d'objets : lampes, cendriers, distributeurs de chewing-gums, tableaux bizarres, peluches rafistolées et, avec les années, le Coin était devenu une sorte de temple où finissaient des babioles improbables dont personne ne voulait mais qu'on ne pouvait pas jeter. C'était tout son charme.

J'ai feuilleté le magazine *Boule magique* en formulant la question qui me hantait : *Est-ce que je peux rentrer chez moi* ? J'ai commencé à le secouer entre mes mains et à faire bouger le liquide bleu dans les bulles de plastique. Une seconde plus tard, une réponse s'est affichée :

N'y compte pas.

J'ai jeté le magazine sur la table. Je n'avais jamais aimé ce truc ! C'était d'une bêtise ! Et soudain je me suis sentie invisible. Oubliée. Comme si l'univers m'avait fait une blague vraiment mauvaise alors que je ne le méritais pas. J'ai fermé les yeux en priant pour que quelqu'un, n'importe qui, franchisse la porte et me ramène à la maison.

– Laissez-moi rentrer. Laissez-moi revoir Sadie. Donnez-moi à résoudre le problème d'algèbre le plus compliqué. Laissez-moi aller n'importe où mais pas ici. Je vous en supplie.

Mais quand j'ai rouvert les yeux, le petit garçon jouait toujours avec sa DS. Les bracelets de la princesse Bling-Bling cliquetaient de plus belle et le footballeur draguait toujours la reine gothique. Le sol s'est ouvert sous mes pieds. En fait, non, mais c'est ce que j'aurais voulu.

Un bruit de télé m'a arrachée à ma misérable prière. J'ai regardé au fond du restaurant, près des piles de boîtes à pizza. Dans le coin, ses gros godillots militaires posés sur une petite table, était assis un garçon d'environ dix-sept ans qui agitait une vieille télécommande en zappant sans cesse.

Nos yeux se sont croisés et j'ai senti une rafale de décharges électriques secouer mes épaules. Ses yeux étaient mi-vert, mi-marron. Il avait un bronzage californien typique des surfeurs de la plage Mavericks. Ses cheveux courts étaient châtain foncé. On aurait dit un militaire croisé avec une créature sortie de *Twilight*, genre loup-garou plutôt que vampire.

Je l'ai regardé en essayant de comprendre qui il me rappelait. Les bottes militaires. Le jean délavé et le t-shirt gris clair. Les lunettes de soleil aviateur. Et surtout, le blouson. Un blouson en cuir marron vintage, aux poignées tricotées avec un col en fausse fourrure.

Bingo ! Son visage ne me disait rien mais ses vêtements oui. C'était un garçon très années 80. Genre pilote de chasse. Genre Tom Cruise dans *Top Gun*, le film le plus génial de tous les temps. J'ai doucement rigolé. Une chanson m'est venue à l'esprit.

Highway... tooo the... danger zone !

Il portait une cicatrice qui courait depuis le haut de sa main jusqu'à son poignet et qui disparaissait sous sa manche.

– Tous les nouveaux venus doivent se présenter au guichet, a dit une voix de femme au beau milieu de mon karaoké silencieux.

J'ai tourné la tête : une Asiatique aux cheveux gris était assise sur un tabouret devant le comptoir. Elle avait un livre de mots croisés ouvert devant elle et portait des lunettes rouges qui glissaient sur son nez.

– Nom ? m'a-t-elle demandé d'une voix sèche.

J'ai regardé à droite et à gauche mais c'était bien à moi qu'elle parlait.

– Euh… Brie Eagan.

– Tu es en retard.

– Ah bon ?

Elle a désigné une pendule sur le mur qui semblait arrêtée.

– Désolée.

Madame Mots Croisés a hoché la tête vers moi.

– Pas grave. Viens par ici. On a du boulot. Tu peux aussi m'aider à faire cette grille.

Mon estomac a grogné encore une fois. J'ai regardé le sosie de Tom Cruise qui avait troqué sa télécommande contre une tranche de pizza fumante.

À quoi ? Artichaut et tomates séchées ?

Il me fixait tout en mordant lentement dans la pâte.

– D'abord tu t'inscris, ensuite tu manges, m'a dit Madame Mots Croisés.

Wouah, elle savait lire dans les pensées en plus !

Je me suis levée et me suis avancée lentement vers le comptoir, un peu honteuse. J'ai tiré un tabouret, me suis assise et j'ai regardé la femme remplir une nouvelle fiche en griffonnant mon nom. Ses veines saillaient sur son poignet blanc tandis qu'elle me tendait la fiche :

– Tu me remplis ça.

– Il doit y avoir une erreur.

– Je ne crois pas, a-t-elle dit sévèrement.

– Mais si, je vous dis, je vais bien.

– Comme tout le monde ici, allez, au boulot !

J'ai croisé les bras, mâchoires serrées, comme une gamine de cinq ans butée.

– Je n'ai pas de stylo.

– Si, tu en as un, a-t-elle dit en désignant ma main droite.

Et étrangement, j'en avais bien un. J'ai failli tomber de ma chaise. Comment diable ai-je atterri ici ? Avec, dans la main, le stylo que j'avais en CE2, quand j'étais encore tout excitée à l'idée d'aller acheter mes fournitures scolaires. Un stylo blanc et bleu qui pouvait écrire de six couleurs différentes. On pouvait même mélanger deux couleurs. Je sais de quoi je parle parce qu'à cette époque, je passais tout l'été à peaufiner ma signature et qu'un stylo pareil, c'était le nec plus ultra.

Je gardais les yeux fixés sur le papier devant moi. J'ai appuyé sur le bouton vert et j'ai commencé à le remplir.

Nom : Aubrie Elizabeth Eagan
Date de naissance : 1ᵉʳ novembre 1994
Date de décès :... ... ...

J'ai regardé Madame Mots Croisés, concentrée sur sa grille, et je suis passée à la ligne suivante :

Cause du décès :... ... ...

Je me suis mordillé la lèvre et j'ai écrit :

Un salaud qui mérite de souffrir.

Ensuite, il y avait les lignes : *parents, frères et sœurs, animaux domestiques, divers.*

Ô mon Salami, si seulement tu étais là pour mordre cette femme qui me fait remplir ces maudits formulaires à rallonge.

Beurre de cacahuètes ou confiture : beurre de cacahuètes (avec morceaux)

Café ou thé : thé Chaï
Espoirs, rêves, glace préférée :... ... ...

Et, là, un déluge de souvenirs s'est abattu sur moi.

Chapitre 7

Your love is better than ice cream

Quand j'ai rencontré Jacob Fischer, j'avais quatre ans et lui, cinq. Mais notre première conversation a eu lieu sept ans plus tard. Petite, tout ce que je pensais de lui, c'est qu'il n'était pas comme les autres. Grande gueule, tornade vivante, il était toujours à crapahuter partout. Le genre de gamin à côté de qui vous détestez vous retrouver au restaurant ou dans l'avion.

Et puis on a grandi. Sans nous parler beaucoup. Sans que je pense vraiment à lui. Les garçons, ces extraterrestres un peu deg, on préférait les éviter avec mes copines. Et puis, on avait autre chose à faire comme du vélo, des plongeons (moi), de la gymnastique (Tess) et de la danse classique (Emma et Sadie).

Jusqu'à cet après-midi de septembre, des années plus tard, où la grande sœur de Jacob, Maya, est venue sonner à notre porte. Et c'est moi qui lui ai ouvert.

Si j'avais su !

– Salut, Brie !

Maya Fischer : longs cheveux bouclés, bagues dentaires invisibles, créoles en argent, Crocs orange.

Je voulais les mêmes.

– Salut, Maya, ai-je dit en savourant ma sucette chewing-gum au melon.

– Ta mère est là ?

– Ouais.

– Je peux lui parler ?

– Bien sûr. C'est pourquoi ?

– Je monte une société de baby-sitting alors je fais le tour des parents.

Je me suis légèrement penchée et j'ai dit :

– J'adore tes Crocs.

– Merci.

– Brie ? a crié ma mère à l'étage. C'est qui, ma chérie ?

– C'est Maya Fischer. Elle demande si tu as besoin de quelqu'un pour nous garder, ai-je répondu en rigolant.

Et comme par hasard, papa et maman avaient justement besoin de quelqu'un pour rester avec Jack et moi ce vendredi. Papa était invité à un raout de médecins alors maman a fait affaire avec Maya illico.

– Y a juste un problème, a dit Maya, je peux venir avec mon petit frère ? J'ai promis à ma mère de le garder ce soir. Enfin, si vous êtes d'accord…

– Bien sûr ! s'est exclamée maman. On commandera des hamburgers.

La perspective des hamburgers m'excitait plus que de rester avec les Fischer. Sans compter que j'avais prévu de revoir pour la quatre-vingt-septième fois *Le Monde de Nemo*.

Jacob Fischer : rien de spécial. Un gamin comme les autres.

Mais je ne connaissais pas encore la suite.

Maman et papa étaient en retard quand la sonnerie de la porte a retenti ce vendredi soir. Moi, j'étais sur mon lit en train de parler au téléphone avec Tess qui m'expliquait pourquoi elle aimait tant Eric Ryan.

– Non, mais tu l'as vu à la piscine, l'autre jour, pour l'anniversaire de Bethany ? Il a un dos crawlé à tomber par terre, non ?

(Je vous l'avais dit : une vraie Ariel.)

J'entendais maman qui leur disait bonsoir en catastrophe. La porte a claqué et les Fischer ont fait le tour du propriétaire. La porte du garage a couiné laissant papa et maman filer vers leur dîner. Quand je suis descendue, j'ai vu Maya vautrée sur le canapé en train de regarder la télé et mon petit frère de quatre ans qui jouait avec ses Lego. Maya a tourné la tête vers moi.

– Salut, Brie ! Tu as faim ? a-t-elle demandé en regardant son téléphone. Les hamburgers ne vont pas tarder.

– Salut. Oui, super, ai-je répondu en allant m'asseoir par terre près de Jack.

Jacob était assis près de Jack, et jouait aussi aux Lego.

Imaginez la scène : moi, grosses joues, frisée, lunettes violettes trois fois trop grandes pour moi. Lui : grand, cheveux bruns épais et ondulés, une tache de rousseur sur le bout du nez, une dent un peu cassée. Un garçon, quoi. Avec un t-shirt de skateur. Un garçon avec un t-shirt de skateur qui jouait aux Lego. Il ne m'a même pas regardée. À peine s'il a remarqué que j'étais là. Alors qu'il était *chez* moi, sur la moquette de *mon* salon. En train de jouer avec *mon* petit frère. Le genre homme des cavernes, quoi.

– Je construis un vaisseau spatial, a dit Jack fièrement en brandissant un tas de Lego qui ressemblait plutôt à la silhouette d'un dinosaure.

Ça m'a fait rire.

– Bonne idée, Jack ! Moi, je vais faire un vaisseau spatial où les astronautes pourront manger des glaces.

– Non, des cookies, a dit Jacob, l'œil sévère.

Je l'ai dévisagé d'un air ahuri.

Déni

Excuse-moi mais t'es en train de discuter
mon choix de desserts ?

– Désolée, ai-je dit, mais je préfère les glaces.
– Pas moi. Y a pas mieux que les cookies.

Comme ça, tout à trac.

Le diable avec sa fourche et son air mauvais venait de trouver sa nouvelle proie. Si j'avais su que c'était le garçon, avec sa dent ébréchée, ses cheveux épais et son air de « je suis un champion de skate », qui allait me piétiner le cœur, je serais restée là-haut à parler au téléphone avec Tess. Je serais allée me coucher tôt. J'aurais supplié mes parents de m'emmener avec eux à leur dîner ennuyeux comme la mort.

Mais je ne le savais pas. Comment aurais-je pu ? Alors j'ai hoché les épaules d'un air indifférent et j'ai dit un truc génial du genre « peu importe » en me mettant à construire mon vaisseau spatial.

Chapitre 8

Only the good die young

Ça faisait une semaine. Une semaine que je n'étais plus. Une semaine qu'à deux pas de chez moi, j'avais basculé dans une autre dimension, condamnée à porter les mêmes vêtements et à manger des pizzas jusqu'à la fin des temps. Vous me direz, y a pire. Les pizzas du Coin, vous pouvez en manger tous les jours sans prendre un gramme. Sadie, ça l'aurait rendue folle.

– Tu ne finis pas ?

Wouah ! Il savait donc parler.

J'ai levé des yeux surpris vers le type au blouson qui venait de s'asseoir près de moi. Il a bâillé et s'est gratté la tête. Il a tendu la main vers ce qui restait de ma pizza végétarienne et en a pris une portion.

– Je n'aime pas le gâchis.

– Je t'en prie, ai-je dit de ma voix la plus Disney.

– C'est une végétarienne ? a-t-il demandé en avisant un morceau d'aubergine. C'est d'un ennuyeux !

– Va dire ça à mes parents. Chez nous, on est tous végétariens.

– En vrai ? a-t-il dit d'un air apitoyé. Mes plus sincères condoléances.

– Euh, merci.

– Bon, me permets-tu d'être le premier à te souhaiter la bienvenue au bon vieux pays de l'Au-delà, petite dame ?

L'Au-delà ?

Il m'a tendu la main.

– Je m'appelle Patrick. Âme perdue en résidence.

J'ai tendu la mienne.

– Et toi ?

– Brie.

Il m'a regardée comme si j'avais un poivron géant collé sur le visage.

– Brie ? Comme le fromage ?

– Ouais, on ne me l'avait encore jamais faite.

– Merci, a-t-il dit en souriant, je sais, je trouve toujours les bons mots.

Ensuite on s'est tus. J'ai regardé les autres puis j'ai compris quelque chose : le gars au blouson, la reine gothique, le petit à la DS, la princesse Bling-Bling, Patrick. Moi. Tout le monde ici, à l'exception de Madame Mots Croisés, était jeune.

– Tu as l'air bizarre, a-t-il dit.

Perspicace avec ça.

Je me suis penchée vers lui et j'ai chuchoté :

– Qui sont tous ces gens ?

– Des morts sans intérêt.

– Mais où sont les vieux ? Les adultes ?

– Euh… Sans doute dans un restaurant plus chic, a-t-il dit en grimaçant.

– Tu es toujours aussi aimable ?

– Tu es toujours aussi belle ?

– Très drôle. Sérieusement, qu'est-ce qu'on fait ici ? Qu'est-ce que tu fais ici ?

Il a haussé les épaules une fois de plus.

– Écoute, moi, je ne suis pas expert. Certains d'entre eux, a-t-il dit en désignant le petit à la DS, sont coupés du réel. D'autres traînent dans le coin depuis des siècles (ça, c'était pour la reine gothique). Moi, je suis ici parce que j'adore les pizzas. Chacun fait ce qu'il veut mais crois-moi, y a vraiment de quoi s'amuser ici.

– Ah oui, et à quoi tu penses exactement ?

Il a mis ses mains devant lui comme si j'allais le frapper.

– Hé, petite dame, restons amis, d'accord ? D'abord parce qu'on est entre jeunes. Ensuite, parce qu'on vient à peine de se rencontrer. Alors laissons-nous porter, soyons ouverts les uns aux autres et les choses se développeront naturellement, a-t-il dit en secouant la tête et en sifflant. De toute façon, quoi que je fasse, les filles craquent toutes pour moi.

Je me suis sentie devenir rose, orange, rouge écarlate. Je n'en revenais pas. Est-ce qu'il était sérieux ? Non.

Si.

Je me suis éclairci la gorge.

– Donc, euh… tu m'as dit que ça fait combien de temps que tu traînes par ici ?

Ma voix était aussi aiguë que celle d'un âne ou d'un furet.

Il a ri.

– Je ne te l'ai pas dit.

Il a englouti une autre part de pizza en trois bouchées.

– Impressionnant. Tu devrais faire des concours.

– Les garçons, ça mange.

J'ai poussé le reste de ma pizza vers lui.

– J'en ai pris assez pour tenir jusqu'à la fin des temps.

– La fin des temps, ça fait long, tu sais. Encore plus long que ce que tu crois.

Je n'ai pas bien compris alors je n'ai rien dit.

– La vie, la mort quoi… au fait, qu'est-ce qui t'est arrivé ?

– Tu veux dire ?

– Tu sais bien. De quoi es-tu morte ?

Ma poitrine s'est bloquée.

– Je préfère ne pas en parler.

– Allez, pas de ça entre nous. Je ne mords pas. Enfin, si, un peu, a-t-il dit en dévorant un morceau de croûte.

Berk, les garçons sont vraiment deg.

– Écoute, parlons d'autre chose, tu veux bien ?

Madame Mots Croisés était toujours plongée dans sa grille.

– Huit lettres, marmonnait-elle. Une gaffe qui peut aussi se manger…

– Boulette, a crié Patrick, boulette !

Madame Mots Croisés lui a envoyé un baiser à travers la pièce.

– Merci, mon chéri !

– Mon chéri ? On dirait qu'elle t'aime bien ?

– Je te l'avais bien dit. Les femmes adorent mon blouson !

– C'est sûr…

J'ai repensé à papa et maman. Quand nous faisions tous ensemble les mots croisés du *New York Times* le dimanche matin en dégustant nos gaufres à la banane. Ils nous aidaient toujours Jack et moi à trouver les réponses les plus faciles.

– Je peux emprunter ton téléphone ? ai-je demandé.

– Pourquoi ? Tu veux appeler ton ex ?

– Très drôle. Je veux juste appeler un taxi.

Patrick s'est rapproché.

– Ah oui ? Et où comptes-tu aller ?

– Chez moi. Je vais rentrer chez moi.

– Une minute…

– Mais elle, la dame aux mots croisés, m'a dit que ça ne prendrait que quelques jours pour les papiers et ça va faire presque une semaine.

J'ai attrapé mon verre et j'ai fini mon Sprite à la paille.

– Pourquoi est-ce que tout est si long ?

– Tu es pressée ou quoi ?

– Je perds mon temps.

Il a ri.

– Désolée de te dire ça, mon trésor, mais du temps, c'est tout ce que tu as ici. Alors détends-toi et amuse-toi, a-t-il dit en croisant les bras derrière sa tête. Tu vois ? Apprends à lever le pied et à apprécier l'odeur des pizzas.

Mauvaise nouvelle, Bozzo : ne jamais dire à une fille de se détendre, ça la rend encore plus folle. Plus je regardais son blouson, plus je le détestais.

– Tu ne l'enlèves jamais ?

– Pourquoi faire ? Il me va trop bien !

– Tu as l'air bête.

– Wouah ! Fais gaffe ! Mademoiselle cherche les ennuis aujourd'hui.

– Je ne cherche aucun ennui.

– Ça y est j'y suis ! En fait, tu veux que je me déshabille, c'est ça ? Tu veux voir mon beau torse dénudé ? a-t-il dit en abaissant la fermeture Éclair de son blouson.

– Berk ! Épargne-moi ce spectacle !

– Tu en es sûre ? Tu ne sais pas ce que tu rates !

Tout en remontant sa fermeture, Patrick a sorti un petit livre d'une poche intérieure.

– Tiens, prends ça ! Si tu as des questions, là-dedans, y a toutes les réponses.

Je laissai courir mes doigts sur la reliure en moleskine noire et les lettres dorées du petit livre.

Le carnet D&J

– Ça veut dire quoi « D&J », « Disc Jockey » ?

– « Disparu à Jamais »… C'est la seule littérature que tu trouveras sur le sujet.

Je l'ai feuilleté tout doucement. La table des matières annonçait :

« Chapitre 1 : Une fois que vous y êtes, que faire ? »

Rentrer à la maison, c'est tout ce que j'ai à faire.

– Je sais, ça n'a l'air de rien, mais tu y trouveras plein de tuyaux, plein d'idées pour t'occuper. Parce que le problème, ma puce, c'est le temps. Faut que tu apprennes à te distraire.

Sa puce ? Et puis quoi encore ?

– Le problème, c'est que du temps, on en a trop, mais tu verras, ce bouquin m'a aidé à m'adapter.

– À t'adapter à quoi ?

– À ce qu'on attend de toi parce que je te préviens, on attend beaucoup de toi, ici.

Est-ce qu'il parlait sérieusement ? Ce n'était pas possible.

– Entendu, ai-je approuvé en dissimulant l'ironie de ma voix. J'ai hâte de voir ça.

J'ai fait mine de ranger le livre dans la poche droite de ma robe mais il a atterri sur le lino, à mes pieds. J'ai toussé pour couvrir le bruit.

– Tu es le pire cas depuis longtemps !

– Le pire ?

– C'en est presque mignon.

– N'importe quoi !

– Plus j'y pense et plus tu me rappelles quelqu'un… tes yeux…

– Ah oui et qui ça ?

– Cléopâtre.

– Je ne vois pas le rapport.

– Moi, si. C'était la reine du déni.

– Je ne suis pas dans le déni.

– Tu parles comme tous les nouveaux venus, a-t-il dit en ramassant le livre. Mais c'est normal, j'en ai vu plein des comme toi.

– Tu ne me connais même pas.

– Brie.

– Quoi ?

– Est-ce que tu sais pourquoi tu es là ?

Sa question m'a prise de court. J'ai senti mon nez et mes yeux me picoter.

Ne pleure pas, ne pleure pas.

J'ai fait oui de la tête.

– Ah oui ? Et pourquoi ?

Mais pour qui se prenait-il ? Il me connaissait depuis cinq minutes et il me parlait comme un expert en la matière. La matière étant moi.

– Pourquoi ? Eh bien, ça ne te regarde pas, ai-je répondu en me glissant à une autre table, près de la fenêtre.

– C'est bien ce que je pensais.

Il s'est levé, est allé me resservir du Sprite à la fontaine de sodas puis est venu s'asseoir près de moi.

– Ton cas est tout ce qu'il y a de plus classique.

– J'aimerais bien être un peu seule, si ça ne te dérange pas.

– Allez, avoue, tu aimes bien ma compagnie. Écoute, mon trésor, ce que tu ressens est tout à fait normal. On a tous connu ça, même moi.

Il a attrapé une serviette en papier et s'est essuyé les mains et la bouche avec. Je n'ai pas répondu.

J'ai juste pris mon verre de soda et j'ai commencé à mordiller ma paille. Une vieille habitude.

– Regarde, a dit Patrick, je vais te montrer.

Il a déplié sa serviette en papier, l'a lissée et s'est mis à écrire dessus. Ensuite, il l'a posée devant moi.

– Lis ça.

J'ai regardé. Entre les taches de sauce tomate et de graisse, et dans un assemblage de lettres désordonné, Patrick avait griffonné une liste de cinq mots :

DÉNI

COLÈRE

NÉGOCIATION

TRISTESSE

ACCEPTATION

Il a entouré le mot « Déni ». Je lui ai lancé un regard dégoûté.

– Ne me parle plus.

– Ça, c'est toi.

J'ai détourné la tête pour qu'il ne voie pas les larmes de colère qui roulaient sur mes joues. Je les ai essuyées d'un revers de la main.

– Tu finiras par comprendre, trésor. Un de ces jours.

Il a replié la serviette et l'a fourrée dans sa poche.

– Mieux vaut pas laisser traîner ça.

Sans un mot, j'ai continué à mâchouiller ma paille en regardant l'océan. Patrick a compris qu'il valait mieux changer de sujet.

– Donc, tu auras bientôt seize ans, non ?

J'ai acquiescé, sans le regarder.

– Bientôt.

– Et ça fait une semaine que tu es là ?

J'ai encore acquiescé mais sans certitude. Je n'avais plus la notion du temps. Je le sentais tout autour de moi, je voyais bien le soleil se lever et se coucher mais les minutes me paraissaient éternelles. Pas comme pendant les cours d'histoire européenne où je m'ennuyais ferme et où je griffonnais sur mon cahier en attendant la sonnerie. Là où j'étais, le temps semblait à la fois passer en accéléré et au ralenti.

– Bon alors, est-ce qu'on commence à s'amuser ? m'a-t-il demandé en souriant.

– S'amuser ? Parce qu'on est censés s'amuser ?

– Pourquoi pas ? Comme je t'ai dit, on peut sortir d'ici quand on veut.

– Pour aller où ?

– Mais dis donc, tu crois que tu vas rester cloîtrée ici à manger de la pizza jusqu'à la fin des temps ?

– Personne ne sort, ai-je marmonné en regardant Madame Mots Croisés. C'est elle la patronne.

Il a ouvert de grands yeux.

– Qui a dit que c'était la patronne ?

Je ne comprenais plus. On était des enfants et il fallait bien qu'un adulte nous prenne en charge.

– Mais alors si ce n'est pas elle, qui est-ce ?

Il s'est penché vers moi comme pour me transmettre un secret capital.

– C'est toi. Toi.

Chapitre 9

I was walking with a ghost

Ma mère m'aurait assassinée si elle avait su que je roulais à moto sur l'autoroute de Pacific Coast en me tenant derrière un gamin. Un vrai assassinat, sanglant, effectif. Mais elle n'en savait rien. Et bizarrement, je m'en fichais. Ça me faisait du bien d'oublier mes mésaventures et de ne plus pleurer. De toute façon, je n'y pouvais rien. Ça, je l'ai compris très vite. Vous pouvez vous ronger en vous demandant ce que vous avez fait de mal, ça ne sert à rien. Ça ne changera rien. Alors pourquoi s'en faire ? En plus, la vie après la mort, ce n'était pas si mal. C'était comme un rêve étrange et fabuleux quand vous savez qu'il vous reste encore dix minutes avant que le réveil ne sonne. (Sauf que dans mon cas, le réveil était bloqué et que mon rêve ne finirait jamais.)

Au début, Patrick n'a pas voulu que je monte sur la moto avec lui.

– C'est une mauvaise idée.

– Pourquoi ?

– Parce que je ne suis pas ton chauffeur.

– S'il te plaît...

Il m'a lancé un regard vide mais calme, comme s'il jouait avec moi.

– Je ne crois pas que ce soit une bonne idée.

– C'est drôle parce que moi, je crois que c'est une super idée.

Il ne savait pas que j'avais toujours été terrorisée par les motos. Ça faisait du bruit, c'était dangereux et papa m'avait souvent parlé des blessés graves qui atterrissaient aux Urgences. Mais ma vraie peur venait d'ailleurs en fait. Du fond de mes entrailles.

Je n'allais pas le dire à Patrick mais un cauchemar me hantait depuis toujours : j'étais à l'arrière d'une moto, mon visage levé vers un ciel bleu et calme, et soudain, la catastrophe. Le ciel devenait noir, le vent se déchaînait, le pilote perdait le contrôle. J'entendais des pneus crisser et un carambolage. Mon corps était projeté dans les airs, dans une fournaise pleine de fumée et je suffoquais. Ce rêve revenait sans cesse. Avec toujours le même sentiment de perte de contrôle et de mort inéluctable. Outre le fait que je n'étais jamais montée sur aucune moto, le plus étrange, c'est que je faisais ce rêve toujours à la même date : le 4 juillet. Et parfois, l'odeur de fumée et d'essence me poursuivait pendant les feux d'artifice de la fête nationale.

Mais ma phobie idiote n'avait plus aucune importance à présent. Parce que vous avez beau tourner les choses dans tous les sens, on ne meurt pas deux fois. Autrement dit, je n'avais plus rien à perdre.

– S'il te plaît ? Juste un petit tour ?

– Tu comprends quand on te dit non ?

– Et ta mère, elle a dit non ?

– Attends un peu, tu as parlé de ma mère ?

– Peut-être bien.

Il a souri et j'ai compris que j'avais gagné.

– Tu es sûre que tu n'as pas peur ?

J'ai acquiescé.

Mensonges, mensonges, mensonges.

Il m'a lancé un regard inquiet.

– Et tu continueras à me parler si tu détestes ça ?

– Je ne détesterai pas.

Pour finir, je m'étais trompée. Je n'ai pas détesté, j'ai même adoré.

Je n'avais jamais ressenti un truc pareil. C'était mieux que le calme et l'excitation que j'éprouvais à la seconde où je décollais du plongeoir. Une sensation de liberté incroyable.

Patrick avait raison. À l'extérieur de la pizzeria, un nouveau monde m'attendait, fait de souvenirs et de rêves familiers et totalement inconnus. Les odeurs sentaient plus fort. Les couleurs étaient plus vives. Les jours étaient plus longs et les nuits nimbées d'étoiles. C'était inimaginable.

Comme dans les livres dont vous êtes le héros. Je dormais quand j'étais fatiguée (les banquettes de la pizzeria étaient en fait très confortables), je mangeais quand j'avais faim et quand je ne voulais rien faire, je ne faisais rien. Au bout de la rue du Coin, un cinéma passait mes films favoris, *Quand Harry rencontre Sally*, *Nuits blanches à Seattle*, *Vous avez un message* et, ne vous moquez pas de moi, *La Belle et la Bête*. Il y avait aussi un grand parc aquatique avec des toboggans de toutes sortes, une énorme piscine à vagues et une rivière où je pouvais me la couler douce en prenant le soleil.

Mais le plus drôle a commencé quand j'ai appris à faire des vœux. Je veux dire de vrais vœux. Ceux que vous faites en fermant les yeux très fort et en imaginant une plage de sable fin, un hamac et qu'ils se réalisent devant vous. J'ai souhaité galoper à cheval dans des prairies vertes et grasses et je l'ai fait. J'ai souhaité dormir à la belle étoile et je l'ai fait. J'ai même souhaité que Patrick m'apprenne à faire du surf alors qu'il n'a vraiment pas la tête de l'emploi. On s'est retrouvés sur nos planches à l'aube, à regarder le soleil se lever dans un monde calme et parfait.

Tous les vœux étaient exaucés. Chaque nouveau vœu étant encore plus beau que le précédent. Aucun souci. Aucun problème ni cauchemar ni peur. Rien à voir avec la vraie vie.

Mais un matin, au milieu de mon petit déjeuner, un milkshake aux Oreos, Patrick m'a posé une question qui a tout changé.

– Alors, tu veux le retrouver ?

J'ai failli m'étrangler.

– Quoi ? Retrouver qui ?

Il a marmonné en se vautrant sur la table.

– Vraiment, Cléopâtre ? Tu l'as déjà oublié ?

De qui fallait-il que je me souvienne ? Et pourquoi m'appelait-il encore Cléopâtre ?

Il s'est frappé la tête en voyant que je ne répondais pas.

– Ma chère, vous êtes vraiment une fille étonnante !

– Pourquoi ?

Il a attrapé mon milkshake.

– Tu as tout faux à l'épreuve numéro un ! Vraiment tout faux ! Mais bon, tu es mignonne quand tu es dans le déni.

Il a avalé une gorgée de mon milkshake.

– Dieu que c'est bon !

– Eh ! Va t'en chercher un !

J'ai regardé ses vêtements, comme ça m'arrivait parfois, et je me suis senti sourire.

– Pourquoi tu souris ?

Je me suis mordillé la lèvre.

– C'est ton… euh… ton blouson.

– Qu'est-ce qu'il a ?

– Oh, rien. Tu ressembles à un pilote de chasse des années 80.

– Ce n'est pas gentil ça, mais bon, venant d'une fille habillée comme un sac, ça ne me touche pas.

– Tu es jaloux parce que mon sac vient de chez Sacks, Cinquième Avenue.

– Wouah, tu es une vraie peste ! Mais passons, est-ce que le verbe « faire payer » a un sens pour toi ?

– Tu veux dire se venger ?

– Ouais, je me disais que ça t'amuserait peut-être.

– Et de qui se vengerait-on ?

– Tu sais bien, truc-bidule-machin-chose.

Sa voix moqueuse m'énervait.

– Quoi ? Qui ?

– Attends, je cherche… ça y est, j'ai trouvé : Jason ?

Quoi ?

– Non, non, je me suis trompé… Jonah ?

Une minute.

– Jeremy ?

Nom de Dieu.

– Aide-moi, je brûle…

– Jacob.

Ma gorge s'est nouée. La vieille douleur que j'avais presque oubliée est revenue incendier ma poitrine.

– C'est ça !

Patrick a claqué des doigts en reculant.

– Dieu soit loué, tu te souviens, Brie ! Sinon, je n'en aurais pas dormi de la nuit.

J'étais trop sonnée pour répondre à ses sarcasmes.

Jacob.

Je n'y avais plus pensé depuis des lustres. J'ai mis ma main sur mon cœur. Rien.

– Il mérite qu'on lui fasse payer un petit quelque chose, non ?

J'ai revu le visage de Jacob. Ses yeux. Ses bras. Ses lèvres. Ses baisers. Ses mots. Les tout derniers mots que j'avais entendus.

Je
Ne
T'aime
Pas.

J'ai frissonné.

– Eh… ça va ? a dit Patrick en posant une main sur mon bras.

– Depuis combien de temps... La réalité m'empêchait de parler. Depuis combien de temps je suis ici ?

Il s'est mis à compter sur ses doigts.

– D'après mes très scientifiques calculs... dix-sept jours.

Seulement ?

Patrick a lu dans mes pensées.

– Tu aurais dit plus, hein ? Moi, c'était pareil quand je suis arrivé ici.

Mon estomac s'est bloqué.

– Ça me fait penser, puisque je suis dans les calculs que... Il a attrapé un chapeau de cowboy sur l'étagère et l'a mis sur sa tête... Joyeux Halloween ! Youpi !

Halloween ?

– Mais alors, demain, c'est mon...

– Anniversaire ? Je sais. Joyeux anniversaire !

Incroyable. J'avais complètement perdu la notion du temps. Envolés ma famille, mes amis, tout mon monde.

Comment avais-je pu oublier ce monde-là ?

J'ai senti des fourmis au bout de mes doigts. Puis ça s'est mis à vibrer, comme une décharge électrique venant secouer ma nuque et mes cheveux.

Jacob.

Tout ça, c'était à cause de lui. C'était lui le coupable. De tout. La vieille sensation s'est emparée de moi. Une sensation que je n'avais plus éprouvée depuis longtemps. Ce n'était pas de la tristesse, ni de la solitude. C'était de la fureur.

– Alors ? a dit Patrick.

Je l'ai regardé droit dans les yeux, cet énergumène en blouson d'aviateur, et, pour la première fois, je lui ai adressé un petit sourire complice en concluant :

– On va se le payer !

Chapitre 10

Yeah I'm free, free fallin'

– Hé ! tu peux ouvrir les yeux maintenant.

– Tu sais quoi ? Je préfère les garder fermés.

– Allez, a dit Patrick, la vue est trop belle, regarde.

– Tu devrais plutôt dire, ne regarde pas.

– Ne t'inquiète pas. Je suis là. Je ne vais pas te lâcher.

Patrick avait beau me rassurer, je n'arrivais pas à regarder. En fait, je réalisais que le seul moyen de revenir sur terre, dans le monde des vivants, c'était d'y *tomber*. De très très haut.

– Merci. C'est rassurant, enfin…

– Tu ne crois pas que tu en rajoutes un peu ?

– Tu ne crois pas que ton blouson est un peu ringard ?

– Allez, tu es du genre championne olympique, non ? Tu n'as qu'à te dire que tu es sur un plongeoir plus haut que d'habitude, c'est tout.

J'ai ri jaune.

– Tu parles ! Ça n'a juste rien à voir.

Mais bon, j'étais curieuse. J'ai respiré profondément tandis que le vent soufflait dans mes cheveux et j'ai fini par ouvrir les yeux. Et là, j'ai failli m'évanouir. On était au sommet du monde. En une seconde, Patrick m'avait fait grimper au-dessus des nuages, tout en haut du pont Golden Gate, sur la tour Nord, à plus de trois cents mètres au-dessus du Pacifique qui grondait tout ce qu'il pouvait. Le soleil se couchait sur la baie, nimbant les collines et les champs de lavande d'une lumière mordo-rée. Et malgré la brume épaisse, j'apercevais San Francisco tout éclairée, scintillant comme une cour de récréation féerique. Au loin, de petites étoiles commençaient à percer le ciel.

– Nom-de-Dieu.

– On peut dire ça.

– C'est tout juste in-croy-able.

Il a souri.

– Je t'avais prévenue.

La lumière se reflétait sur son visage et un quart de seconde, dans le coucher de soleil, ses yeux sont devenus noisette. D'accord, je devais l'admettre : Patrick était mignon. Pas aussi beau que mon Jacob avec sa tignasse d'homme des hautes plaines. Plus dans le genre cheveux courts, James Dean, beau gosse sûr de lui.

Il s'est approché du bord et a plié les genoux comme pour s'élancer.

– Chiche ?

– Arrête ! Ce n'est pas drôle !

J'ai attrapé son blouson pour le retenir.

– Allez ! Fais-moi confiance !

J'ai secoué la tête.

– Je commence à croire que mon petit frère est plus mûr que toi, et il a huit ans.

– D'habitude, on me donne encore moins. Bon, tu es prête ?

J'ai fait la sourde oreille. Rien à faire qu'il soit mignon, que ses yeux de crétin scintillent dans le coucher de soleil. Jamais au grand jamais je n'allais me mettre à sauter de ce pont.

Pas question.

– Mais comment est-ce qu'on s'est retrouvés perchés ici ?

– On a zoomé.

– Zoomé ? On est dans un film Pixar ou quoi ?

– Bon, on dirait que tu as trop regardé de Disney, toi.

– On ne regarde jamais trop de Disney, ai-je grommelé pour ne pas flancher, ne pas vomir, ou les deux à la fois.

Dieu que c'était horrible ! J'ai commencé à claquer des dents, à sentir les vibrations du pont remonter dans mon corps, le roulement effrayant de l'océan qui se répercutait le long des câbles et des suspensions métalliques. Comment pouvait-on être si haut ? Plonger depuis dix mètres après l'école, ça, je pouvais comprendre mais là, on était à une tout autre échelle. Dans un autre système solaire.

Je me suis agenouillée en essayant de rester calme. J'avais beau être une bonne plongeuse, la tête me tournait à l'idée de sauter, de tomber et de m'écraser dans la baie de San Francisco à une vitesse vertigineuse pour atterrir entre les mâchoires d'un énorme requin blanc.

– Tu sais, si tu m'avais dit qu'on allait sauter depuis ce pont avant de venir, je ne serais jamais venue.

– Écoute, a dit Patrick, si tu avais bien regardé le chapitre 6 du bouquin et aussi le 12, Le grand zoom, tu aurais anticipé. Tu n'as pas bien fait tes devoirs !

– Merci, papa.

Son sermon m'énervait, même s'il avait raison. Si seulement j'avais bien lu ce maudit bouquin, j'aurais mis la main sur quelqu'un de plus fiable qui m'aurait écoutée et expliqué que tout ça, c'était une gigantesque erreur.

Je ne suis pas censée être ici. Je n'étais pas censée mourir. Pas encore. Pas comme ça.

Patrick a éclaté de rire.

– Tu te souviens, je t'ai bien dit qu'il y aurait des épreuves à passer. Eh bien, ça y est, on y est !

Il a lu la panique sur mon visage.

– Ne t'inquiète pas. Ça fait peur la première fois, je sais, mais ensuite, ça va mieux. Et bientôt, tu verras, ça va devenir très marrant.

– Je ne peux pas. Je ne peux pas. Je ne peux pas.

– *Crede quod habes, et habes.*

– C'est quoi cette langue de crétin ?

Il a souri.

– Du latin. Crois que tu l'as et tu l'auras !

Il parlait d'une voix légère, joueuse, qui n'avait rien de rassurant.

– À dix.

– D'accord, à dix. Tu es une drôle de fille, Aubrie Eagan.

– Brie.

– Un… deux… trois…

– Attends, attends, tu comptes trop vite…

– Quatre.

– Arrête !

– Cinq…

– Je t'ai dit que…

Mes genoux ont commencé à trembler et tout s'est mis à tourner. Le roulement de l'océan se confondait avec le roulis des voitures.

– Hé, ça va ?

Patrick s'est approché.

– Tu es toute pâle.

– Ça va.

Je mentais, la main agrippée à la rambarde d'acier.

– Ça n'a jamais été mieux, ai-je dit en repoussant mes cheveux en arrière, ce qui ne servait à rien, vu le vent qui soufflait. Ça n'aurait pas été pire au sommet de l'Everest. C'est comme ça que tu imagines le paradis ou quoi ?

– Exactement.

Nos yeux se sont croisés. J'ai rougi malgré ma peur. Je ne savais plus quoi dire, j'étais prête à y aller.

– Donc… euh… tu viens ici souvent ?

C'était moi qui avais dit ça ? Qui avait dit ça ?

– Je viens ici quand j'ai besoin de réfléchir, de m'éclaircir les idées, ou quand j'en ai assez d'attendre.

– D'attendre ? D'attendre quoi ?

Il a hésité un instant, les yeux vers les montagnes.

– Une amie. Je crois que j'attends une vieille amie.

Le soleil couchant a éclairé son poignet droit. Je n'avais jamais remarqué comme sa cicatrice était profonde, à cause de son blouson. Mais avec la lumière du soir et ses manches qui se relevaient, j'ai pu la voir. Une cicatrice épaisse, profonde, comme s'il s'était lacéré avec un gros morceau de verre.

Quoi qu'il ait traversé, ça n'avait pas dû être très drôle. J'ai compris à ce moment-là que malgré tout ce qu'il savait de moi, moi, je ne savais rien de lui. Ni d'où il venait. Ni qui il avait été. Ni comment sa vie avait pris fin. Il a intercepté mon regard et tiré sur ses manches.

– Qu'est-ce qui t'est arrivé ?

À l'instant où j'ai posé ma question, j'ai réalisé que j'aurais dû me taire.

– Accident de moto. J'allais trop vite. Rien d'autre.

Papa avait raison : la moto, c'est dangereux.

J'ai regardé mes pieds.

– Désolée.

– Inutile. J'ai surmonté, c'est une vieille histoire.

Une bourrasque m'a prise de court. J'ai vacillé en essayant de me raccrocher à quelque chose mais il n'y avait rien.

– Bon, j'ai officiellement changé d'avis. Je crois que je vais encore réfléchir à cette histoire de vengeance. On a tout le temps de nous payer Monsieur Machin-Chose. Pourquoi nous précipiter ?

Lentement mais sûrement, je me suis reculée en essayant de me détendre et de penser à des choses agréables comme des boules de coco, les plaisirs du samedi matin, être en vie.

– Je change d'avis, je ne veux plus, pas aujourd'hui, je préfère qu'on retourne au Coin. S'il te plaît.

– Ça m'embête de te dire ça, a hurlé Patrick à cause du vent, mais y a comme un problème !

– Quel problème ?

Respire, Brie, respire.

– Ça ne va pas te plaire.

– Parle.

– Ben…

– Allez, parle !

– Y a qu'un moyen de partir d'ici.

– On t'a déjà dit que tu étais à mourir de rire ?

Il ne souriait plus.

– Le problème, c'est que je ne blague pas.

– Attends, tu peux répéter ?

– Tu as très bien entendu.

– Non.

– N'insiste pas.

– Si !

– Prends ma main.

Il a essayé d'attraper la mienne.

– Non !

– Brie, tu n'as pas le choix.

– Pourquoi ?

– Parce que sinon tu vas rester ici à te les geler jusqu'à la fin des temps. Et puis rappelle-toi, tu as deux ou trois choses à montrer à ton ex, non ? Franchement… Et moi, c'est pareil.

– Oui, oui, mais pas maintenant.

Si j'avais eu un cœur, il aurait explosé dans ma poitrine.

– Je ne peux pas. Bientôt je pourrai mais pas aujourd'hui, c'est tout. Patrick, s'il te plaît, zoome dans l'autre sens, ramène-moi au Coin.

Le roulis de l'océan devenait assourdissant.

– Désolée, mon poussin, mais ça ne marche pas comme ça. Tu le saurais si tu avais potassé le bouquin et de toute façon, tes excuses sont bidon.

– Ah oui ? Et pourquoi ?

Ne viens pas me chercher, Top Gun,
ou je vais te détruire.

– Tu as peur mais c'est le moment de quitter le nid, petit oiseau. Le moment de faire le grand saut.

Nom de Dieu, il parlait vraiment sérieusement.

– Ne t'inquiète pas, je vais rester avec toi. Tu tombes, je tombe.

– Ne t'approche pas de moi !

– Prends ma main.

– Patrick, je ne plaisante pas.

– Ma main, je te dis.

Sans me laisser répondre, il m'a prise dans ses bras et m'a serrée très fort.

– Non, arrête !

– Ouvre les yeux.

J'ai secoué la tête en essayant de me débattre.

– Allez, tu ne peux pas rater ça.

– Et ta mère...

Mais ça ne marchait plus.

– Avance-toi jusqu'au bord.

– Je vais te tuer.

– Trop tard, trésor.

Ses lèvres étaient tout contre mon oreille.

– Regarde en bas.

Je me suis encore débattue mais il était trop fort.
J'ai crié tout en regardant en bas.

La plus grosse erreur de ma vie.

Le vide absolu. L'immense baie de San Francisco,
gigantesque, terrifiante, glaçante, prête à m'avaler toute crue et à me réduire en mille morceaux.
Dieu du ciel, c'était encore plus haut que ce que je
croyais.

Cinq centimètres.

Deux centimètres.

Un demi-centimètre.

Je devais me réveiller. Il le fallait. Le seul problème, c'est que je ne rêvais pas.

Ma ballerine a glissé sur le sol métallique. Le vent
a mordu ma joue.

– S'il te plaît, ai-je murmuré en m'agrippant au
t-shirt de Patrick. Ne...

– N'aie pas peur.

Et il m'a poussée.

Chapitre 11

Send me an angel

– Cheddar ?

– Encore cinq minutes, je ne veux pas me lever.

– C'est ce que tu m'as déjà dit il y a cinq minutes.

– Cette fois, c'est vrai.

– Bien tenté, trésor, mais ça ne marche pas.

– Tu n'es pas mon patron.

– Comme tu voudras, ma p'tite.

J'ai reçu un seau d'eau froide sur la tête. Mes yeux se sont ouverts.

– Non, mais…

– Debout, debout, il fait soleil, a dit Patrick.

– Je vais t'assassiner !

J'ai bondi sur lui mais il s'est esquivé aussitôt.

– Tu as un vrai problème de violence. On devrait peut-être consulter un bon psy, non ?

Je dégoulinais de tous les côtés. Je n'étais plus que chair de poule.

– Tu veux mon blouson ?

– Ne m'adresse plus la parole. Tu es le diable en personne.

À ce moment-là, je me suis aperçue que c'était le crépuscule. Le ciel était zébré de mauve, avec

des taches bleu et jaune, un peu comme des héma-
tomes. Dans quelque direction qu'on regarde, les
rues alignaient lampadaires et feux clignotants qui
donnaient un peu le tournis.

– Bonbons ou coups de bâton ? a dit Patrick en
s'accrochant à une branche d'arbre et en commençant à faire l'équerre.

– Coups de bâton ! ai-je répondu en reconnais-
sant le porche de l'autre côté de la rue.

La porte rouge. Le stuc blanc. L'allée où je garais
mon vélo après l'école.

– Mauvaise réponse ! Tu me dois cinq mini-
Snickers et trois sachets de M&M's.

Il a lâché sa branche pour atterrir près de moi.

– Dis donc, je manque d'entraînement !

Mais je ne l'entendais pas, luttant contre une
envie de vomir subite.

La maison de Jacob. Là, juste de l'autre côté de
la rue. Comment était-ce possible ? Lors de toutes
les explorations que j'avais faites avec Patrick,
je n'étais jamais arrivée jusque-là. Dans notre
monde à nous, tout était toujours décalé par rapport à l'ancien monde. Les routes ne se croisaient
pas là où je croyais. Les noms de rues ne corres-
pondaient pas. Il y avait des blancs, des pièces
manquantes.

Des pièces capitales.

Ma maison ne se trouvait pas là où elle aurait dû être. Le lycée paraissait plus vieux, plus délabré. Même la maison de Jacob avait disparu, comme si quelqu'un s'était infiltré dans mes souvenirs pour y mettre le désordre et me retirer tout ce qui avait eu de l'importance pour moi autrefois. Au point que j'avais arrêté de chercher, oubliant ce que je cherchais. Mais là, nous y étions, pile-poil. Ma tête n'était plus que migraine.

– Où sommes-nous ? Que s'est-il passé ?

– Oh, tu parles de ton espèce de migraine ? Ça va passer, t'en fais pas.

– Non, je parle d'ici, maintenant, explique !

– Avec plaisir. Tu viens de faire ta première chute du paradis. J'espère que votre vol aura été agréable et que vous choisirez notre compagnie lors de vos prochains déplacements. Bon séjour sur Terre, à moins que vous ne soyez en transit pour je ne sais où.

– Le paradis ? De quel paradis parles-tu ?

– OK, d'accord, excuse-moi, a dit Patrick, c'est vrai que la première fois, c'est intense mais ça se tasse et maintenant, on va enfin s'amuser. Et tu sais, y a des choses qui m'amusent plus que de régler leur compte à ceux qui le méritent.

Cherchait-il à me blesser avant que moi je ne le blesse ?

À ce moment-là, un bruit de basse, de rires et de cris joyeux a envahi la rue. J'ai vu des silhouettes onduler à travers les vitres. Elles dansaient.

– Alors, tu viens à la fête ?

– Mais on ne m'a pas invitée...

– Sans blague, a-t-il dit en me toisant. On va à cette fête. Regarde, je me suis fait beau exprès.

– Menteur.

Il a fait comme si je l'avais atteint en plein cœur.

– Dire que j'ai passé des semaines à soigner mon look.

– Ah oui ? Dans quel but ? Avoir la coupe de cheveux la plus années 80 ?

– Ça, c'est méchant.

Des gamins, des gamins en chair et en os, ont déboulé dans l'allée avec des costumes improbables. Patrick a interpellé un petit de l'âge de Jack habillé en lézard.

– Hé, langue de dragon ? Ta salive n'est pas trop acide ?

J'ai éclaté de rire. La situation était complètement abracadabrante. On était là, tous les deux, sur le point d'aller à la soirée Halloween de mon ex. C'était trop. Je gardais les yeux fixés sur la maison d'en face.

Je vais le voir. Je vais enfin le revoir.

– Allô ? m'a lancé Patrick, inquiet. Tu as peut-être changé d'avis ? Tu en as peut-être eu assez pour ce soir ? Dis-moi juste que tu n'as pas oublié pourquoi on est venus là. Te venger. C'est maintenant ou jamais, OK ?

Je ne pouvais plus parler.

– Je suis sérieux.

– D'accord, d'accord, j'ai compris.

– Trop facile ! Je veux te l'entendre dire. Dis-moi pourquoi on est là.

– Pour le faire payer, ai-je murmuré.

– Plus fort !

– Pour le faire payer.

– OK, je te ramène au Coin.

– POUR LE FAIRE PAYER !

– Ça me va. Je suis ton cavalier. Même si ton déguisement laisse à désirer.

Quel culot !

– Estime-toi heureux que j'y aille avec toi alors que tu m'as poussée du haut de cet atroce pont.

– Poussée est un peu exagéré.

J'ai voulu lui coller un baiser sur la joue mais il s'est esquivé.

– Je rectifie. Je serai ton anti-cavalier. Et surtout ne va pas te faire des idées.

– Quelles idées ?

– Ne me fais pas de scènes de jalousie si toutes les filles de la soirée se jettent sur moi.

– Ne te gêne surtout pas, chéri.

– Wouah ! Tu as dit *chéri* ?

– C'est trop te flatter ?

– Mon Dieu ! Ses yeux brillaient. Tu as vraiment une idée derrière la tête, hein ?

J'ai pincé son bras très fort.

– Arrête de prendre tes rêves pour la réalité !

Son visage s'est illuminé et il m'a souri. Le sol a tremblé sous mes pieds et je l'ai entendu me glisser sans ouvrir la bouche.

– *Ne jamais dire jamais, trésor. Il y a un début à tout.*

Chapitre 12

It's in his kiss

Quand on aime quelqu'un, je veux dire aimer vraiment, tout est une question de premières fois : premier regard, premier sourire, première danse.

Donc le premier baiser.

Mon premier baiser n'a pas été pour Jacob Fischer. Techniquement, je l'ai donné à Matt Thompson, un gamin que j'ai rencontré lors d'un camp de vacances quand j'avais douze ans. Matt et moi, on est sortis ensemble pendant environ trente-sept minutes, le temps du déjeuner. Il me l'a proposé en criant à travers la cafétéria, à dix tables de là où j'étais. Son ami Alex Grant a demandé à son ami Charlie Frazier de demander à son amie Angela Bell de demander à son amie Rachel Goldman de demander à *mon* amie Zoe Michaelson s'il me plaisait. Je ne lui avais jamais adressé la parole mais mon groupe est devenu dingue parce que c'était d'un romantisme, alors je ne pouvais que dire oui.

Mais quand on a servi le dessert, je me suis dit que j'étais trop jeune pour m'engager. J'ai laissé Matt m'embrasser pendant deux secondes devant le distributeur de glaces, un morceau de cheeseburger coincé dans ses bagues, et tout à trac, je lui ai dit que c'était fini. Je sais, c'est moyen. Mais je me suis rattrapée avec mon deuxième baiser.

Un grand moment.

C'était avec Jacob. Un baiser que j'ai revécu des dizaines de fois sans jamais m'en lasser. C'est d'ailleurs comme ça que j'ai passé mes trois premiers jours au Coin. Juste en revivant ce baiser. C'est l'avantage quand vous êtes au paradis, vous avez tout le loisir de revivre vos moments et vos souvenirs préférés, comme si votre vie n'était qu'un DVD et qu'il vous suffisait de changer de bouton : pause, rembobiner, avancer, ralenti, et ce, toute la journée, à votre convenance.

C'était la nuit de mes quinze ans.

Avec Emma, Sadie et Tess, on était surexcitées parce qu'on allait participer à notre premier bal de lycée, qui avait pour thème les années 80 qui plus est. On est toutes allées à la boutique Luna après les cours pour s'acheter des robes. J'ai choisi un fourreau noir, un peu satiné, avec des paillettes dorées sur le bas. Ensuite on s'est offert une beauté des pieds et on est parties dîner chez moi. Papa avait cuisiné mes spaghettis préférés. Après le dîner, on est montées dans ma chambre se préparer pour la plus belle nuit de notre vie.

Maman nous a déposées à l'école vers vingt heures trente. On a traversé la pelouse pieds nus en gloussant comme des folles. Aucune de nous n'avait de cavalier mais Tess était certaine que le Prince Eric allait enfin se déclarer après des années d'approche et Emma avait monté un plan en huit points pour que la nouvelle star de l'équipe de foot, Nate Lee, l'invite à danser :

1. Lui rentrer dedans.

2. Renverser son cupcake au chocolat sur sa chemise.

3. L'aider à la nettoyer.

4. En chemin vers les lavabos, engager une conversation sur le thème : danser, c'est pour les nuls alors que regarder le match Brésil/Espagne, ça, c'est la classe.

5. Revenir au moment des slows.

6. Dire tout fort que tous ses amis l'ont lâchée alors qu'elle adore cette chanson, décolleté plongeant et battement de cils à l'appui.

7. Il demande : Tu veux danser ? Elle répond en bâillant : Ouais, pourquoi pas ?

8. Et voilà, c'est dans la poche !

Quant à moi, j'espérais vaguement que Ben Handleman me demande enfin de sortir avec lui. Il avait de superbes cheveux bouclés et depuis que je lui avais prêté mes cours d'algèbre, je savais qu'il m'aimait bien. Les garçons croient toujours qu'on ne lit pas dans leur jeu.

– Ben t'aime vraiment bien, a dit Sadie en entrant dans l'auditorium, vous seriez tellement mignons ensemble.

– En plus, j'adore ses lunettes, a ajouté Tess. Béni soit Ben !

On est arrivées à l'intérieur, persuadées que cette nuit allait être magique.

Alors quand j'ai vu Ben embrasser Anna Clayton au milieu de la piste, disons que j'ai déchanté. La musique hurlait. Des tonnes de jeunes discutaient dans tous les coins. Au plafond et sur les murs, on avait accroché des lumières scintillantes et au-dessus de nos têtes, une immense boule disco qui projetait sur nos visages les reflets de ses diamants.

Et devant moi, Ben et Anna qui avaient l'air de participer au concours du baiser le plus long : j'étais défaite.

– Bah, il ne te mérite pas ! a dit Sadie en rajustant ses sandales noires à hauts talons.

– Des lavettes, ces garçons, a renchéri Emma.

– En plus, tu es un million de fois plus mignonne qu'elle, a ajouté Tess en m'entraînant sur la piste. Allez, viens !

On a dansé pendant une heure, en chantant en playback toutes les chansons qui passaient, puis, sur *Girls Just Wanna Have Fun*, la voix d'un garçon a dit :

– Salut, Brie.

Je me suis retournée et je l'ai vu : Jacob Fischer. Un type que je connaissais depuis toujours et qui était très ami avec Sadie. Mais comme il n'avait jamais dû m'adresser plus de trois mots dans toute sa vie, j'ai trouvé ça bizarre.

– Ah, salut, Jacob, ai-je répondu en rejetant mes cheveux en arrière.

– Hé ! Brie ! Tu es gentille mais tu m'as fichu ta tignasse dans les yeux ! s'est écriée Tess.

Qu'est-ce qui me prenait ?
C'était juste Jacob Fischer.

– Désolée, c'est ma nouvelle coupe de cheveux, je ne suis pas habituée.

– Ça te va vraiment bien, a dit Jacob en criant plus fort que la musique.

– Quoi ? Ah, merci ! Toi aussi !

Je disais n'importe quoi.
Qu'est-ce qui lui allait bien à lui aussi ?

Il m'a regardée avec étonnement puis Sadie s'est interposée :

– Jake, tu sais que c'est l'anniversaire de Brie aujourd'hui ? Quinze ans !

– Ah oui ? a-t-il dit. C'est génial ! Bon anniversaire, Brie.

Heureusement que les lumières étaient tamisées parce que je suis devenue rouge écarlate.

– Merci.

Et puis, miracle, un slow a démarré.

– Super ! C'est *It Must Have Been Love*, a hurlé Emma, en trépignant de joie.

Les couples de danseurs se sont formés tout autour de moi qui cherchais avec qui me mettre alors que j'avais un garçon juste en face de moi. Trente-six secondes plus tard, comprenant que personne ne viendrait m'inviter, j'ai détalé.

– Je vais aller grignoter quelque chose.

– Tu veux danser ? a dit Jacob.

On l'a regardé toutes les quatre en même temps, les yeux ronds, bouche bée, comme des statues puis Sadie s'est écriée en me poussant vers lui :

– Oui, oui, elle veut bien !

Je vacillais. Je me suis raccrochée à lui et mes amies ont soudainement disparu. Suivant son plan de route, Emma a arraché Nate à ses copains footballeurs, Tess s'est glissée derrière Eric et l'a embrassé sur la joue et Sadie s'est postée devant le punch pour discuter avec Dr O'Neil, dont elle était complètement folle bien qu'il ait trente ans et deux enfants.

Jacob souriait de mon embarras.

– Tes amies sont sympas.

N'est-ce pas ? J'ai secoué la tête en le regardant dans les yeux et puis, BADABOUM. Avant que je comprenne ce qui m'arrivait, j'ai senti un étau se refermer sur moi, et mes yeux comme vissés aux siens.

Attends, attends…

Jacob Fischer n'était pas du tout mon genre. (Mais quel était mon genre ? Je ne le savais pas vraiment.) Primo, il n'aimait que le skate. Secundo, je découvrais qu'il savait parler. Tertio, il n'était pas si mignon que ça.

– Brie ? a-t-il dit sans me quitter des yeux.

– Ouais ?

D'accord, il avait d'assez beaux cheveux. Un sourire peut-être craquant. Et il avait grandi.

– Alors, cette danse ?

– Quelle danse ?

Bon, j'avoue : j'étais dingue de lui depuis la primaire. Complètement, follement, absolument dingue. *Mais attention, il avait laissé passer sa chance et il n'allait quand même pas penser que je l'attendais depuis tout ce temps comme une potiche ! Jamais de la vie !*

– Alors c'est oui ?

Incroyable ! Jacob Fischer m'invitait donc à danser pour la deuxième fois !

J'essayais de suivre la stratégie d'Emma. Première étape : Lui rentrer dedans ? C'était fait, grâce à mes super copines. Ensuite ? Battre des cils ? Présenter mon décolleté ? Je n'avais pas grand-chose à présenter en vérité. Je n'avais qu'une solution : faire avec les moyens du bord. Et mes moyens à moi, c'étaient mes cheveux. Alors en regardant à droite et à gauche pour cette fois n'aveugler personne, j'ai rejeté ma tignasse en arrière avec application.

Et Jacob a souri.

– Bien sûr, ai-je répondu, une petite danse ne va pas me tuer.

(Si j'avais su.)

Et le plus merveilleux slow de l'histoire de l'univers m'a enveloppée.

« *It must have been love, but it's over now...* »

Il m'a pris la main.

« *It must have been good,
but I lost it somehow...* »

Et l'auditorium a disparu. Tout comme Tess, Sadie et Emma. Envolées. Profs et surveillants idem. Il n'y avait plus que lui. Et moi. Avec des millions de lumières scintillantes, rouges, bleues, vertes, autour de nous, ses mains sur ma taille, les miennes sur ses épaules.

La chanson s'est terminée mais nous continuions
à danser.

> *Je l'aime. Je suis amoureuse de lui.*
> *Ô, mon Dieu, comme je l'aime !*

Jacob a baissé les yeux.
– Brie, je me demandais si…

> *Si quoi ? Si tu pouvais emprunter*
> *mon cours d'histoire jusqu'à lundi ?*
> *Si tu pouvais me ramener chez moi*
> *après la soirée ?*
> *Si je pouvais arrêter de te piétiner les pieds ?*
> *Mince, mince, mince !*

J'ai baissé la tête et au même moment il s'est penché. Nos crânes se sont cognés, crack !
– Aïe ! avons-nous crié en même temps.

> *Va-t'en, Brie, ou tu vas gâcher*
> *le plus beau moment de ta vie.*

– Dis donc, a dit Jacob en se frottant le front, tu
pourrais faire de bonnes reprises de la tête.

> *Nom de Dieu, je mourais de honte.*

Il a souri.
– Tu ferais une bonne footballeuse.

Sa blague m'a prise au dépourvu mais j'ai fait la fille détendue.

– J'y penserai.

Il a remis ses bras autour de ma taille en me fixant de ses beaux yeux bleus. Un nouveau slow a démarré.

« Sometimes you picture me.
I'm walking too far ahead... »

– Alors, ai-je dit en m'armant de courage, tu voulais... euh... me demander quelque chose ?

« If you fall I will catch you, I'll be waiting,
time after time... »

Jacob a souri encore. Il s'est rapproché, a posé une main sur ma joue et a dit cinq merveilleux mots.

– Si je pouvais t'embrasser.

Et il m'a embrassée.

Chapitre 13

R-e-s-p-e-c-t,
find out what it means to me

– C'est quoi ce truc, du punch ?

Patrick me montrait un liquide ressemblant à du Sprite rouge en balayant du regard le salon bondé des Fischer.

– Tes amis se sont surpassés.

– Tu es d'un snob, ai-je répondu. Désolée que ce ne soit pas aussi bien que dans ta foutue pizzeria.

Moi, j'étais toute gaie. Pas parce que j'avais bu mais parce que pour la première fois de ma vie, je n'avais pas à essayer de parler avec des inconnus. Ni à me soucier de ne pas être la reine de la fête ou à me demander si on m'avait vraiment invitée. C'était l'avantage. Personne ne me voyait. Personne ne m'entendait. Pour tous les autres, j'avais disparu depuis longtemps. Le plus drôle dans les soirées, c'est que personne ne s'amuse jamais autant qu'il y paraît. Sauf à cette soirée. À cette soirée, moi, je m'amusais vraiment.

J'ai cherché du regard Emma, Tess et Sadie mais je ne les ai pas vues. Sans doute encore écrasées de chagrin, pas comme *d'autres.*

La plupart des amis de Jacob étaient là, mais il y avait aussi des gens que je ne connaissais pas, sans doute invités par sa sœur. J'ai vu ses deux meilleurs copains, Will et Milo, déguisés en revenants, ce qui leur allait comme un gant. La maison de Jacob était pleine de décorations d'Halloween. L'entrée était recouverte de toiles d'araignée et les murs du salon de ketchup. Le jardin était plongé dans le noir à l'exception de la piscine sur laquelle flottaient des yeux phosphorescents.

Je dois l'avouer, certains moments me revenaient en mémoire avec émotion : quand on s'embrassait sur son canapé, quand on nageait dans sa piscine avec toute sa famille, ou quand on s'enfermait dans sa chambre pour soi-disant faire nos devoirs. Mais je chassais ma tristesse parce que c'était hors de propos et que je voulais m'amuser. Mon seul objectif : revoir Jacob et lui administrer un peu de son poison mortel.

Un énorme bruit a retenti dans une pièce à côté.

– C'est quoi ?

– Ça sent le roussi, a dit Patrick. Ouf, cette soirée va peut-être enfin devenir intéressante.

On a suivi le mouvement jusqu'à la cuisine où quelques jeunes étaient en train d'ouvrir une piñata à l'effigie de Frankenstein. J'ai vu Maya accourir d'un air agacé mais bizarrement, je ne voyais pas son frère. Un instant, j'ai pensé monter dans sa chambre mais je me suis ravisée : ce serait plus drôle de le surprendre au milieu des autres. Pour lui coller une honte publique.

Beaucoup, beaucoup plus drôle.

– Bon, tu veux qu'on révise encore une fois les règles du jeu ? a demandé Patrick. Tu te souviens de ce que je t'ai dit ? Tout est une question d'intention. Et ça ne marchera que si tu es très concentrée.

– Concentrée sur quoi ? ai-je répliqué pour me moquer.

– Bon, alors tu n'as plus besoin de moi, a-t-il dit en sortant de la cuisine.

– Hé ! Arrête, ne t'en va pas ! Tu es trop suscep-tible, je plaisantais.

Patrick m'a souri. Je me suis laissé surprendre à caresser des yeux son t-shirt moulant, la façon dont sa coiffure mettait en valeur son regard téné-breux, son jean qui lui allait si bien… Il m'a lancé un regard de velours d'un air de dire, merci mais tu n'es pas mal non plus. Ça m'a glacée, je ne me fai-sais pas encore à l'idée qu'on puisse lire dans mes pensées. Surtout quand il s'agissait d'un garçon plutôt craquant.

– Si je comprends bien…

– Bon, tu arrêtes ! Allez, fiche le camp !

Il s'est mis à rire. Mais à cet instant, j'ai vu la porte de devant s'ouvrir et j'ai reconnu la silhouette qui s'avançait. Et le visage. Je me suis raidie aussitôt. Je ne devais pas flancher. Je ne devais surtout pas courir me blottir dans ses bras.

Il était là. Le garçon de mes rêves les plus fous. Enfin, de mes rêves devenus cauchemars. Et à présent, je ne devais plus penser qu'aux cauchemars.

Alors c'est lui, hein ? a suggéré le regard de Patrick.

J'étais comme vissée dans le sol. *C'est lui.*

Mais qu'a-t-il de si spécial après tout ? Il n'a qu'à plaire à toutes les filles de la Terre, quelle importance ? Il n'est même pas si craquant.

Je te hais.
Tu m'aimes.
Tu t'aimes.
Bon, d'accord mais qu'est-ce que tu me veux ?

J'ai fait quelques pas. Puis j'ai stoppé net. Des tas de gens gravitaient autour de lui. Je devais rester concentrée. Je me suis faufilée dans la foule, ni vu ni connu. Jacob. Mon Jacob. Il avait les yeux fatigués, tristes. Il avait beau être entouré de tas de gens qui le connaissaient, qui l'aimaient et qui savaient ce qui lui était arrivé, il avait l'air seul. Perdu.

J'ai senti ma colère refluer.

Je lui manque.
Brie, ne fais pas ça.
Mais si jamais ?
Qu'est-ce que ça changera ?

Peut-être qu'il regrette ?
J'espère bien qu'il regrette.

J'ai ouvert la bouche mais je n'ai rien pu dire. Je sentais son parfum. Un effluve merveilleux.

Dieu qu'il sent bon !

J'aurais voulu qu'il me prenne dans ses bras. Qu'il me dise que tout irait bien. Que tout ça n'était qu'un cauchemar et qu'on allait de nouveau être ensemble. Peut-être même pour la vie entière.

Tu te déconcentres.
Je ne peux pas faire ça.
Il ne t'aime pas.
Tais-toi, Patrick !

J'ai tendu les mains, le bout de mes doigts à quelques centimètres à peine de la veste de Jacob. Je voyais la lumière se refléter dessus, les poils de mes bras qui se hérissaient, comme chargés d'électricité.

Mais Milo et Will ont surgi entre nous.

– Hé, mec, a dit Milo, ça va ? Ça fait presque une heure qu'on t'attend.

– Je t'ai envoyé plein de textos, a dit Will. Tu es sûr que ça va ? Tu n'as pas l'air bien.

Jacob a secoué la tête.

– J'ai… j'ai besoin d'air. Pas la tête à faire la fête, c'est à cause de Maya. Je lui avais bien dit d'annuler.

Will et Milo se sont jeté des regards inquiets.

– C'est cool, regarde, tout le monde s'amuse, a dit Will.

Jacob a acquiescé mais il ne détachait pas ses yeux du sol.

Pauvre Jacob, il est tout seul.
Personne ne comprend ce qu'il ressent.
Personne sauf moi.

– Tu étais avec elle ce soir, hein ? a dit Milo.
Ça m'a glacée.

Elle ?

Je devais me rapprocher de Patrick. Avait-il entendu Milo ? De quoi parlait-il ? Mais Patrick a juste remué la tête et m'a tourné le dos.

– Ne me pose pas de question.

J'ai à nouveau regardé les trois garçons.

– Elle est toujours très fâchée ? a murmuré Will.

– Ouais. Elle n'arrête pas de pleurer, a répondu Jacob.

C'était comme si on m'avait injecté une dose de poison dans le sang qui commençait à s'infiltrer dans ma poitrine. Je fixais Jacob.

Elle ? Qui elle ? Mais de qui parles-tu à la fin ?

Si mes yeux avaient pu broyer quelqu'un à distance, le pauvre ne serait plus qu'un vieux tas de cendres. Je ne comprenais toujours pas pourquoi il avait rompu avec moi, comme ça, d'un seul coup. Y avait-il une autre fille ? Une fille qu'il me préférait ?

Soudain, un jet de flammes, de fumée et de lave en fusion s'est abattu sur le sol, me forçant à reculer.

Brie ! Attention !

Je dois savoir. Je dois savoir qui est cette fille.

Concentre-toi.

Non, boucle-la ! Je veux l'entendre. Je veux l'entendre me dire les choses.

– Ça craint, mec, a dit Milo, mais c'est bien que vous puissiez compter l'un sur l'autre.

L'un sur l'autre ? !

Et voilà, j'étais déjà prête à tout lui pardonner. Prête à faire n'importe quoi pour remonter le cours du temps, enjamber l'espace et l'Au-delà pour qu'on soit de nouveau ensemble. Mais ça, ça, c'était vraiment trop. Une violente douleur s'est réveillée en moi, incendiant ma poitrine.

J'entendais les mots de Patrick. Concentration, action.

Va te faire voir.

Allez, vas-y, à toi de jouer !

– Ouais, a dit Jacob en se passant une main dans les cheveux. Elle va bien mais elle en a vraiment bavé.

Quel culot ! Elle, bavé ?
Tu n'oublies pas quelqu'un ?

Je serrais les poings. Ma peau fumait. J'étais en feu.

Fais-le ! Fais-le maintenant !

J'ai bousculé Will et Milo.

– Wouah, a dit Will en reculant, tu as senti ce que j'ai senti, mec ?

– Merde alors ! C'est vraiment bizarre, a répondu Milo, blême.

J'étais à une dizaine de centimètres du visage de Jacob. Ses yeux étaient comme affolés. Il regardait à travers moi mais il butait sur quelque chose. La sensation ténue mais réelle d'une reconnaissance. Je n'avais pas besoin de plus.

Tu le tiens.

– Brie ? a murmuré Jacob.

Je sentais son cœur qui accélérait. Paniqué mais vivant.

Il a de la chance.

Je me suis approchée encore, comblant l'espace entre nous. Des flammes orange et bleu dansaient sur ma peau. Ses yeux se sont arrondis. Puis, comme des plumes légères, mes lèvres ont effleuré sa joue. À peine.

– Oui, c'est moi.

Concentration, me soufflait Patrick, les yeux rivés sur moi.

– Jacob, sérieusement, tu vas bien ? a dit Milo d'une voix tremblante.

Le reste de l'assemblée a compris qu'il se passait quelque chose d'étrange. Quelqu'un a éteint la musique. Jacob était hagard au milieu de la pièce comme s'il avait vu un fantôme. Peut-être pas vu mais à coup sûr entendu.

J'ai vu ses yeux errer dans la pièce. Il avait les paumes moites, il était tétanisé.

C'est le moment que j'attendais.

Mais je n'en avais pas terminé avec lui. J'avais encore des choses sur le cœur.

– C'est de ta faute, ai-je dit à son oreille.

Et là, j'ai vu son visage blêmir.

– Je ne sais pas qui me fait cette blague, mais ce n'est vraiment pas drôle ! a crié Jacob.

L'assemblée s'est figée, tous les yeux fixés sur lui.

– Du calme, mec, ça va, a dit Milo, allez, viens respirer un peu d'air frais.

Fais-le. Tu le tiens. Fais-le maintenant.

Je me suis penchée vers lui et lentement, j'ai passé mes bras autour de sa taille. Je l'ai senti se raidir à mon contact. Puis j'ai prononcé les quatre petits mots qui me hantaient depuis cette fameuse nuit.

– Tu m'as tuée.

Il s'est mis à hurler tant et si fort que la fête s'est vidée d'un seul coup.

Chapitre 14

Nothing compares to you

Avec Patrick, on a marché dans la rue, côte à côte sous le clair de lune, en respirant l'odeur de l'océan et des eucalyptus. On ne savait pas où on allait. Tout ce que je voyais, c'est qu'on allait vers le nord, loin de la maison de Jacob, vers la ville. On a continué longtemps sans se dire un mot.

– C'était impressionnant, a finalement dit Patrick. Je n'étais pas sûr que tu en serais capable, trésor.

Je me suis forcée à sourire.

– Oui, j'ai été géniale, si je puis me permettre.

Pourtant les choses n'avaient pas exactement tourné comme prévu. D'un côté, ça m'avait fait du bien de faire hurler de peur Jacob, ça m'avait soulagée et donné le sentiment d'être allée au bout de quelque chose, surtout que je l'avais ridiculisé devant toute sa classe et les amis de sa sœur qui venaient de Stanford. Mais d'un autre côté, j'étais toujours coincée loin de chez moi. Et puis, j'avais secrètement espéré que Jacob change d'avis, qu'il se rende compte du désastre qu'il avait provoqué et de la stupidité que ça avait été de rompre avec une fille aussi bien que moi. Mais pas du tout. Au lieu de ça, il ne pensait qu'à elle, cette autre fille sûrement plus jolie, plus drôle, moins maligne et avec laquelle je ne devais pas pouvoir rivaliser en termes de tour de poitrine. Une fille qui devait le tenir par des attributs que je n'aurais jamais. Une fille qui, je l'espérais, allait lui briser le cœur comme il avait brisé le mien.

– L'amour, ça craint, hein ?

– Ouais, on peut le dire.

Patrick m'a prise par les épaules.

– Ça passera. Je veux dire, ce sentiment. Tu vas l'oublier plus vite que tu ne crois.

Je me suis arrêtée net.

– Et si je n'y arrive pas ?

J'ai regardé mes pieds. Dieu que j'avais été bête de penser qu'il m'avait aimée, de me pointer à la fête de sa sœur en espérant que ça change quoi que ce soit, que ça prouve quoi que ce soit. Je ne pouvais rien faire de plus et je ne pouvais rien y changer. Les lettres de mon épitaphe n'avaient rien d'éphémère. Elles avaient été gravées pour durer. Pour durer jusqu'à la fin des temps.

AUBRIE ELIZABETH EAGAN

Notre amie. Notre fille. Notre ange.

Dans nos cœurs pour toujours.

1er novembre 1994 – 4 octobre 2010

Je le sentais. Je le savais. Il n'y avait pas de retour en arrière possible. J'avais vécu dans un monde irréel, plein de promesses, pensant qu'un jour, d'une manière ou d'une autre, je retrouverais ma vie d'avant. Une vie qui me tendrait les bras pour renouer avec les rires, l'espoir et les secondes chances, mais la vérité était finalement tombée, comme Patrick m'en avait avertie, et ce n'était pas juste.

Patrick s'est assis près de moi. Je l'ai vu fouiller dans les poches de son jean délavé et en sortir la petite serviette froissée du Coin où il avait griffonné sa liste. Il a pris son stylo et il a déplié la serviette. Puis, sans me regarder, il en a soigneusement rayé le premier mot.

~~DÉNI~~

J'ai lutté pour refouler mes larmes de colère et d'amertume mais elles ont coulé malgré moi.

– Pourquoi moi ? ai-je hurlé en regardant le ciel. POURQUOI ? Qu'ai-je fait pour mériter ça ? Pour mériter la moitié de ça ?

Je me suis effondrée en sanglots, une flaque de larmes à mes pieds.

– Ça va, ça va, a dit Patrick d'une voix douce et sérieuse pour une fois. Je suis là.

Il m'a laissée pleurer sur ses genoux je ne sais pas combien de temps. Il me caressait les cheveux en répétant que tout irait bien. Les étoiles brillaient au-dessus de nos têtes. J'ai senti qu'il se penchait et qu'il retirait son blouson. Il me l'a posé sur les épaules et j'ai pleuré de plus belle, à ne plus pouvoir en ouvrir les yeux, comme un petit enfant après une crise de nerfs.

– Je parie, ai-je murmuré, qu'un jour, tu as fait le bonheur de quelqu'un.

Si Patrick m'a répondu, je ne l'ai pas entendu. J'avais déjà sombré dans un sommeil profond, noir comme un ciel d'orage.

Troisième partie

Colère

Chapitre 15

You ain't nothing but a hound dog

Je ne fais pas partie de ces gens qui se souviennent de leurs rêves. J'ai vraiment tout essayé, le journal, le dictaphone, demander aux copines de me dire si je parle dans mon sommeil, mais nada de chez nada : je n'ai jamais rien obtenu. À part mon horrible rêve de moto.

Mais, cette nuit-là, allez savoir pourquoi, quand je me suis réveillée en boule sur les genoux de Patrick, devinez quoi ? Je me souvenais de tout. J'avais rêvé de Salami. Plus précisément du jour où Salami a mangé ma peluche favorite, un lapin baptisé Miss Peluchette. J'ai hurlé comme une dingue quand je suis montée dans mon lit et que j'ai vu que Miss Peluchette avait disparu de sous mes couvertures. Son petit museau rose. Ses petites oreilles roses. Les plus douces du monde. Disparue, sans laisser d'adresse.

D'abord, papa et maman ont dit que je devais l'avoir oubliée quelque part. Chez Sadie. Dans la buanderie. Sous mon lit. Mais j'ai réfuté toutes leurs suggestions. Parce que la vérité, je la connaissais. Miss Peluchette n'avait pas disparu. On l'avait enlevée.

Un chaos proche de l'apocalypse s'est abattu sur la maison quand papa a retrouvé des peluches sur la moquette du premier étage, puis le long de l'escalier, dans le salon jusqu'à la niche de Salami. Oui. C'était vrai : le chien avait avalé mon lapin. Il avait dévoré le museau rose que j'avais embrassé des milliers de fois. Ses petites oreilles duveteuses. Même ses beaux yeux bleus en verre. (On en a retrouvé un quelques jours plus tard vous devinez où et il était un peu moins bleu, un peu moins brillant.)

– Je me souviens de tout, ai-je murmuré dans un demi-sommeil. De tout.

En fait, ce n'étaient pas des souvenirs, c'était de la nostalgie. Une nostalgie inattendue et débordante. Je nous revoyais le samedi matin, maman et moi en pyjama, en train de nous serrer et de faire les idiotes. De nos chamailleries, de nos malentendus qui nous faisaient de la peine et qui finissaient toujours par l'idée qu'un jour, les enfants, ça grandit. Tous ces sentiments, je les avais enfermés dans une sorte de capsule que j'avais mise dans un coffre-fort pour que personne ne les retrouve jamais. Un endroit secret qu'avec le temps, j'avais fini par oublier.

Mais ma famille me manquait. Ma maman me manquait.

J'ai ouvert des yeux gonflés à force de pleurer et j'ai regardé Patrick.

– Trésor ? a-t-il dit.

– Je veux rentrer chez moi.

– Tu veux qu'on en parle ?

J'ai secoué la tête, je me suis étirée et je me suis relevée. Et là, j'ai senti peser dans ma poitrine comme un gros bloc de béton. Et un plan que j'avais hâte de mettre à exécution. Rentrer chez moi, c'était ma priorité.

– Alors ? a dit Patrick d'une voix enjouée qui cherchait à me distraire. Je me disais que je pourrais te montrer un endroit près d'ici très très cool...

– Je veux rentrer chez moi, ai-je répété. Maintenant.

Il m'a regardée bizarrement.

– On ne serait pas d'humeur un peu autoritaire, ce matin ?

– Appelle ça comme tu veux.

Il s'est gratté la tête.

– Le problème, c'est que...

– Quoi ? Quel est le problème ?

– Ben disons que...

– Quoi ? Vas-y, dis-le !

Il a poussé un gros soupir en fouillant dans ses poches.

– Écoute, poussin, je sais que tu n'aimes pas que je dise ça mais les choses sont différentes à présent... Tu ne peux pas faire exactement tout ce que tu veux...

– Ah oui ? Et pourquoi ?

– Tu veux vraiment le savoir ?

– Est-ce que j'ai l'air de plaisanter ?

– Disons qu'on s'est réveillés sur le mauvais trottoir.

– Qu'à cela ne tienne ! Tu n'as qu'à zoomer, je suis prête !

Il s'est croisé les bras.

– Dois-je te rappeler que je ne suis pas ton chauffeur personnel ?

– C'est drôle, ça, parce que, pour moi, c'est exactement ce que tu es.

– Toi, alors ! a marmonné Patrick en me serrant la main.

J'ai senti une décharge électrique.

– Aïe ! Je rêve ou tu veux m'électrocuter ?

– Wouah ! Y a des bonnes vibrations entre nous, c'est sensas !

Je me suis frotté la main.

– Ça ne se dit plus, sensas, espèce de ringard !

– Écoute, soigne un peu ton guide, d'accord ? Tu as le droit d'être en colère mais pas de tout oublier.

– Oublier quoi ?

Il a tapé dans une énorme pierre qui est partie rouler de l'autre côté de la rue.

– N'oublie pas que tu n'as plus que moi maintenant, d'accord ?

Ses mots m'ont touchée, mais je n'en revenais pas de ce que je venais de voir. Patrick avait réussi à déplacer une pierre d'un coup de pied. En établissant un contact entre le monde réel et lui.

– Comment tu as fait ça ?

– Pardon ? Tu veux dire que tu ne sais toujours pas tout au sujet des D&J ? Permets-moi d'être choqué.

– Bon, bon, d'accord, excuse-moi.

– Dis-le.

– Je n'ai plus que toi maintenant, ai-je grommelé.

– Je ne t'entends pas.

– Je n'ai plus que toi ! Ça te va ? Alors dis-moi comment tu as fait ça ?

Il a souri.

– OK, reprenons.

Il a attrapé ma main et m'a attirée vers lui. Et avant que je comprenne ce qui se passait, on a été comme embarqués dans des montagnes russes de folie, tourbillonnant à travers les airs à une vitesse qui m'a mis l'estomac au bord des lèvres. Mes pieds étaient en feu et je n'arrivais même plus à m'entendre crier à cause du vent. Et puis, ça s'est arrêté.

– Bienvenue chez toi, a dit Patrick.

J'ai ouvert les yeux. Mon corps était encore tout secoué de tremblements et de spasmes.

– Ne refais, ne refais plus jamais ça !

– Je me ferai un pense-bête, trésor.

Je n'aimais pas qu'il m'appelle trésor, ni aucun des stupides surnoms qu'il me donnait, ni qu'il sache des choses à mon sujet alors que moi, je ne savais rien de lui. Mais ce n'était pas le moment de discuter. Parce qu'on était dans ma rue. 11 Magellan Avenue.

La maison était couverte d'ombres. Toutes fenêtres fermées. Rideaux tirés. Comme si elle n'était plus habitée depuis des années. Ou plus entretenue. Je n'étais morte que quelques semaines auparavant, ce qui n'était rien au regard de l'éternité. Mais en voyant cette lumière d'automne sur le toit, le jardin plein de boue, les mauvaises herbes, les feuilles mortes se décomposer avec en fond sonore le grondement effrayant de l'océan, on aurait dit bien plus.

Abandonnée, défaite, la maison n'était plus que l'ombre d'elle-même. Comme moi. Mes yeux ne s'en détachaient plus.

– Mais qu'est-ce qui s'est passé ? ai-je demandé.

– Ce qui se passe toujours quand on a perdu quelqu'un, a dit Patrick.

Le bruit d'une porte a attiré mon attention. Un petit garçon, les cheveux en bataille, vêtu d'un jean et d'un sweat-shirt, en est sorti en courant sans se

138

soucier de refermer derrière lui. Un ballon de foot aux pieds, il shootait contre le portail métallique du garage.

BOUM !
BOUM !
BOUM !

C'était Jack. J'en ai eu la chair de poule. Il était là, si près, si réel. Les joues roses et le nez pris par l'humidité de l'automne. J'aurais voulu courir vers lui, l'enlacer sans plus jamais le lâcher. Je l'ai vu s'essuyer le nez dans sa manche puis recommencer à tirer contre le garage.

BOUM !

Je me suis avancée puis arrêtée. Je devais ressembler à une sorcière de conte gothique.

– Il ne peut pas me voir.

– Exact, a dit Patrick, mais vu ta coiffure, estime-toi heureuse.

J'ai fait mine de me recoiffer d'une main mais j'ai compris que Patrick se fichait de moi. Encore une fois. Je lui ai décoché mon mauvais regard habituel puis j'ai entendu la porte s'ouvrir une deuxième fois.

– Jack !

La voix de ma mère.

Et je l'ai vue, à moitié penchée dans l'encadrement de la porte. Avec son pull vert, le très doux que Mamie lui avait offert à Noël dernier. Avec ses lunettes turquoise, sa queue-de-cheval brune. N'était-elle pas plus courte que dans mon souvenir ?

Maman.

Ma gorge s'est aussitôt nouée. Ma nuque s'est mise à frissonner. J'aurais voulu courir vers elle.

– Jack, mon chéri, arrête de tirer si fort. Tu fais un boucan du diable. Papa essaie de dormir.

– Dormir ? ai-je dit. Encore ? Mais quelle heure est-il ?

Il devait être au moins onze heures. Mon père était un lève-tôt. Il se levait toujours à l'aube pour aller surfer pendant une heure avant de partir travailler. Impossible qu'il dorme encore ! Il n'aimait pas qu'on se lève après neuf heures, même le week-end.

– D'accord, a répondu Jack d'une voix molle, sans y prêter attention.

Et il a tiré encore plus fort qu'avant.

BOUM !

Maman a secoué la tête. On voyait qu'elle était énervée mais qu'elle ne trouvait pas la force de réitérer sa demande. Elle est rentrée en claquant la porte derrière elle.

– Quelle belle famille ! a dit Patrick.

J'ai fait la sourde oreille. J'ai avancé dans la rue et je me suis assise à deux mètres de là où se trouvait Jack. Il était beau. Un beau garçon et adorable avec ça qui allait avoir neuf ans d'ici quelques mois. Une idée a germé dans ma tête.

Et s'il m'avait oubliée ?

Il a retiré son sweat-shirt et l'a jeté par terre. Puis il s'est assis dans l'herbe et a sorti de sa poche un jeu de cartes. Je lui avais appris à battre les cartes tout l'été. Il était presque au point. Mais ses mains étaient encore un peu petites pour maîtriser le geste. Il a coupé le jeu en deux comme je le lui avais montré (avec moins de cartes, c'est plus facile), mais quand il a voulu arrondir le paquet de cartes, elles lui ont échappé et se sont répandues dans l'herbe.

– Zut ! a-t-il murmuré.

– Recommence, ai-je crié, en utilisant tes pouces cette fois.

Il a refait les mêmes gestes mais les cartes se sont encore envolées.

– Merde !

Il a renoncé et s'est remis à jouer avec son ballon.

Je ne peux rien faire. Je suis complètement nulle. Je ne suis que de l'espace gâché, perdu.

– Techniquement non puisque tu ne prends aucune place en réalité, a répondu Patrick. Enfin, ça, c'est le point de vue technique.

Je me suis frappé le front.

– Nom de Dieu ! ça ne t'arrive jamais de la boucler ?

– Jamais, a-t-il souri.

J'étais sur le point de lui décocher une pique assassine mais un cri a détourné mon attention. Je me suis relevée et j'ai marché vers la fenêtre de la cuisine. Ils étaient là tous les deux. Maman et papa. Assis l'un en face de l'autre à la table de la cuisine. Devant lui, une tasse de café qu'il ne touchait pas et devant elle, un journal plié et une assiette vide. Elle pleurait tandis qu'il avait le visage dans ses mains.

– Tu dois arrêter, disait-elle, combien de temps encore vas-tu nous faire subir ça ? Combien de temps vas-tu le faire subir à Brie ?

Ils se disputaient à cause de moi ?

– Je dois comprendre, disait-il. Je ne laisserai pas tomber avant d'avoir compris.

– C'est une obsession, a repris maman d'une voix tremblante, tu ne peux rien pour elle, c'est fini, Daniel, quand vas-tu enfin l'accepter ?

– C'est impossible, Katie.

– Elle est morte, Daniel, dis-le-toi une fois pour toutes.

Elle s'est levée et a posé son assiette dans l'évier. Elle a ouvert le robinet d'eau chaude et de la buée s'est formée sur la fenêtre à travers laquelle je regardais. Je me suis approchée un peu plus.

– Elle était en bonne santé, continuait papa, en parfaite santé. Son cœur était sain.

– Peut-être pas, pleurait maman, peut-être qu'on n'a pas vu.

– Non ! a dit papa en tapant sur la table, renversant le sucrier et nous faisant sursauter maman et moi. Une crise cardiaque massive sur une enfant de quinze ans ? Les tissus ne se déchirent pas comme ça, Katie. Un cœur, ça ne se coupe pas en deux comme ça !

– Calme-toi, a dit maman, Jack va t'entendre.

Papa a repris son souffle, comme pour retrouver ses esprits.

– Dans mon équipe, on n'a jamais vu un cas pareil, a-t-il dit en s'essuyant les yeux. Brie pourrait nous aider à sauver des vies.

– Ce n'est pas de ta faute, Daniel, ce n'est la faute de personne.

– Ce garçon n'y est pas pour rien, a dit papa en remuant la tête, j'en suis sûr.

Tu as raison, papa. Tu brûles.

– Et que comptes-tu faire ? a demandé maman. Faire coffrer un garçon de seize ans parce qu'il s'est disputé avec ta fille ? C'est un enfant, Daniel. Tu as vu son cœur… de tes propres yeux. Comme nous tous. Alors ne viens pas me dire que Jacob Fischer a quelque chose à se reprocher.

Elle a éclaté en sanglots.

Si tu savais…

– Ça fait des semaines que tu restes dormir au bureau, a repris maman en se tournant vers lui, on a besoin de toi, Daniel, Jack et moi.

– Et Brie ? Elle n'a pas besoin de moi ?

– Elle est MORTE ! a hurlé maman, les épaules tremblantes.

S'il vous plaît, ne vous disputez pas,
je vous en supplie.

J'aurais voulu me boucher les yeux, les oreilles. Partir et ne jamais revenir. Mais je ne pouvais pas me décoller de cette fenêtre.

– J'y suis presque, a dit papa. J'ai une hypothèse.

– Tu nous as, nous ! ça ne te suffit pas ? a-t-elle dit en voulant le prendre dans ses bras mais il l'a repoussée.

– Non. Non, pas pour le moment, a-t-il répondu en prenant ses clés de voiture. Je fais partie des meilleurs chirurgiens cardiaques, Katie, et je suis infoutu de comprendre ce que ma propre fille a eu ? Je ne peux pas !

Ça, c'est papa. Un réalisme à toute épreuve. Sa spécialité. Seuls les faits comptaient. Des tas de gens venaient le voir de tous les coins du pays, de tous les pays du monde, pour lui demander de l'aide. Ça devait le tuer de ne pas être capable de résoudre le cas de sa propre fille.

Maman, c'était différent. C'était l'artiste de la famille. L'esprit libre. Elle enseignait à l'Institut d'art de San Francisco. Quand ils s'étaient rencontrés, leurs différences les avaient rapprochés. Mais à présent, elles les séparaient.

– Ils ont besoin de moi à l'hôpital, a dit papa.

– On a besoin de toi ici, a dit maman.

> *Je vous en supplie,*
> *ne vous disputez pas à cause de moi.*

– Je ne rentrerai pas tard.

– Pour le dîner ? a demandé maman. C'est son anniversaire, Daniel. Ne rentre pas trop tard.

Mon anniversaire ? Je me suis tournée vers Patrick.

– Seize ans, a-t-il dit. Joyeux anniversaire, Brie.

– Je vais faire au mieux, a soupiré papa.

– Le mieux est l'ennemi du bien.

– Kathryn, je dois le faire, a-t-il conclu d'une voix froide, en colère, en appelant ma mère de son prénom officiel, ce qu'il ne faisait jamais.

Elle a quitté la cuisine sans se retourner.

– Après tout, fais comme tu veux, ça m'est égal !

Je suis repartie vers le jardin, dévalant les marches du perron deux à deux. Je devais essayer de leur parler. Je devais leur dire de ne pas s'inquiéter pour moi. J'allais entrer dans la maison et tout s'arrangerait. Je trouverais un moyen. C'était ma famille et ils avaient besoin de moi.

Tu ne peux pas, a soufflé Patrick dans ma tête.

*Je ne peux pas quoi ? Arrête de me dire
ce que je peux et ce que je ne peux pas faire !*

J'étais juste devant la porte, prête à poser la main sur la poignée de métal, comme je l'avais fait des milliers de fois, mais quand j'ai saisi le bouton de la porte et que je l'ai tourné, rien ne s'est passé.

Qu'est-ce qui… ?

J'ai recommencé une fois, deux fois. J'étais enfermée dehors.

– Je hais cette maison ! ai-je crié en balançant des coups de pied dans la porte.

Toujours rien. J'avais beau pousser, enfoncer la porte de toutes mes forces, elle ne bougeait pas.

– Je la hais ! Je la hais ! Je la hais !

Je criais à m'en arracher les poumons, les mots me brûlant la gorge comme des braises. Et puis je me suis effondrée sur le perron, à court d'haleine. J'étais tellement furieuse que de petits nuages de vapeur s'exhalaient de mes bras et de mon dos. J'étais littéralement en feu.

Patrick m'a rejointe lentement sur les marches.

– Tu te sens mieux ?

Je dois aller à l'intérieur.

– TU NE PEUX PAS !

– C'est de la folie ! Pourquoi ?

Je me suis remise à m'agiter en tous sens, à sauter, à enfoncer la porte, à hurler pour que quelqu'un vienne m'ouvrir, en suppliant…

– Ce n'est pas le moment, Brie, pas encore…

– Comment ça, pas encore ? Je suis bien allée chez Jacob alors pourquoi pas chez moi ? Regarde, je suis concentrée. Ça n'a pas de sens !

– En effet, trésor, a répondu Patrick calmement.

Jack est passé devant nous, a ouvert la porte en un seul geste, avec une telle facilité. J'ai essayé de me glisser derrière lui, de mettre le bout de mon pied à l'intérieur mais la porte m'a claqué au visage. Je me suis agenouillée, la tête contre la vitre de la porte et je les ai entendus crier encore. La voix de papa tonnant dans toute la maison sous les aboiements de Salami. Je me suis frappé les cuisses.

– Je suis là ! Arrêtez de vous disputer, vous deux !

J'ai regardé par la vitre et j'ai vu que rien n'avait changé : même parquet, mêmes placards, même commode chinoise dans la salle à manger, mêmes canapés où se vautrer, mêmes étagères débordantes de livres. Les jardinières de maman couraient toujours le long des fenêtres mais plus personne ne s'occupait ni de tailler les fleurs ni de les arroser.

J'étais impuissante. Je ne pouvais qu'assister à la désagrégation de ma famille parfaite. J'ai fermé les yeux en collant mon front à la vitre.

Un désastre. Une malédiction.
Une terrible injustice.

J'ai entendu un petit reniflement, un jappement plaintif puis tout excité. J'ai levé les yeux et je me suis sentie fondre sur place. Il était là, à me regarder à travers la fenêtre, avec ses longues oreilles soyeuses et sa figure adorable, mon petit Salami.

Chapitre 16

Total eclipse of the heart

C'était impossible. Ces deux grands yeux marron ne pouvaient pas me regarder. Il devait y avoir derrière moi un écureuil, un chat ou un autre animal susceptible d'attirer son attention. Un joggeur même. Ou un Frisbee déboulant de chez les Brenner. Mais je me suis retournée et rien, il n'y avait rien d'autre que moi.

Je me suis remise à la fenêtre : Salami me fixait toujours dans la même position, les poils de sa poitrine hérissés, et la tête légèrement sur le côté.

– Salut, mon mignon.

Il a remué son adorable tête et j'ai vu sa queue doucement s'agiter sur le sol. J'ai tendu les mains vers la vitre. Il a sauté en arrière en aboyant.

– Chut ! Tais-toi ! ai-je dit.

Ses oreilles ont pointé au son de ma voix.

– C'est bien, c'est bien, allez, approche, mon chou, ai-je repris en collant ma main à la fenêtre.

Salami s'est figé puis s'est approché.

– Sal ? Sal ?

Il ne me reconnaissait pas.

Normal, puisqu'il ne me voit pas ! Idiote !

– Je suis désolé, a dit Patrick, sincèrement.

Ma main est retombée et j'ai recommencé à pleurer.

– Je suis tellement bête, ai-je dit, tu avais raison. Je suis coincée ici pour le reste de l'éternité, sans famille, sans amis…

– Hum, merci.

– … sans petit ami, sans même mon chien.

– Brie, attends…

– … jusqu'à ce que mon corps se désagrège ou que l'univers explose…

– Brie, regarde…

– … ou qu'une autre atrocité me…

– Nom de Dieu, regarde !

– Quoi ?

Salami grattait la fenêtre. À l'endroit précis où j'avais mis ma main.

– Ô, mon Dieu !

Je n'en revenais pas. C'était la seule chose qu'on avait réussi à lui apprendre.

Il essaie de me serrer la main.

Mes larmes ont redoublé dans un élan de joie.

– Espèce de petit fou ! Tu me vois !

Un instant, toute ma colère a reflué. J'ai bondi sur place en frappant des mains tandis que Salami aboyait en tournant sur lui-même de l'autre côté.

– Bravo, mon chien ! Bravo !

Il a répondu en léchant la vitre.

Patrick n'en croyait pas ses yeux.

– Jamais vu un truc pareil !

– Salami, arrête d'aboyer ! a crié maman depuis la cuisine. Qui est là ?

– C'est moi ! ai-je répondu. C'est moi, maman !

Elle est venue ouvrir la porte. Maman. Là, juste en face de moi. J'ai tendu la main vers elle mais je n'ai rien touché.

Je t'en supplie, je suis là, vois-moi…

Elle a frissonné et a resserré le pull autour de ses épaules. Salami a saisi sa chance en bondissant vers moi et en me léchant le visage. C'était trop bon. Jamais la bave de chien ne m'a paru si délicieuse.

– Salami, ça suffit ! a dit maman en attrapant son collier pour le faire rentrer.

On voyait qu'elle n'était pas très rassurée. Quelque chose lui semblait bizarre mais elle n'aurait pas su dire quoi et, sans attendre, elle a reculé derrière le seuil de la porte.

– Non, maman ! Maman…

– Viens, Salami, je vais te servir ton petit déjeuner.

– Non, pitié, laisse-le-moi !

C'était injuste. Moi aussi, je voulais entrer. Pourquoi diable ne me laissait-elle pas entrer ? J'ai fait un pas en avant et Salami s'est remis à aboyer, les poils tout hérissés.

– Qu'est-ce qui te prend ? a dit maman. Arrête maintenant, ça suffit.

Il ne bougeait pas. Il ne voulait pas m'abandonner.

– Salami Eagan, rentre tout de suite ! a crié maman en lui indiquant le salon.

Un soupir plaintif lui a échappé comme s'il avait peur de ce qui allait lui arriver et il m'a lancé un regard implorant. Il ne comprenait pas que je ne puisse pas entrer avec lui. Si seulement quelqu'un avait pu nous l'expliquer, à lui comme à moi.

– C'est bon, Sal, ai-je murmuré. Rentre, rentre avec maman.

Je me suis agenouillée, j'ai pris sa tête entre mes mains et j'ai embrassé sa truffe.

– C'est toujours ça de pris, mon chien.

Maman a refermé la porte et je l'ai observé à travers la vitre embuée.

– C'est horrible, ai-je dit.

– Oui, je sais, a dit Patrick, je sais.

Puis la porte du garage s'est ouverte et j'ai entendu papa crier qu'il partait pour l'hôpital. Sa voix n'était ni chaleureuse ni amicale.

Non, papa, n'y va pas.

J'ai essuyé mon visage et j'ai descendu les marches. Si quelqu'un devait quitter cette maison, ce serait en me passant sur le corps. J'ai coupé à travers les rosiers rouges de maman.

– Papa ! N'y va pas !

Il a mis la clé de contact, a démarré la voiture et a fait marche arrière. Je l'ai vu regarder dans le rétroviseur et dès que la voie a été libre, il est parti en trombe. En m'abandonnant lui aussi. Je me suis mise à errer dans les rues, puis à courir aussi vite que mes jambes le pouvaient.

Brie, qu'est-ce que tu fais, nom de Dieu ?

Je le suis ! ça ne se voit pas ?

Patrick m'a aussitôt rejointe et m'a pris la main.

Attends.

Quelques secondes plus tard, mes pieds atterrissaient sur le bitume de l'université de médecine de San Francisco, ou plutôt dans un buisson.

– Aïe ! ça fait vraiment mal !

– Sept et demi sur dix. Belle hauteur, belle distance mais tu perds trois points à cause de ton piteux atterrissage, a dit Patrick.

– Fiche-moi la paix ! Y a de la brume, la visibilité est mauvaise et j'aimerais te voir faire ça avec une robe ! J'exige que tu recomptes les points.

– Hé là, exigeante avec ça ! Estime-toi heureuse que je t'aie concédé le demi-point supplémentaire.

Il m'a aidée à me relever en riant. J'ai retiré la terre et les feuilles en boitillant. Quinze minutes plus tard, j'ai enfin vu la vieille BMW de papa arriver. Il a allumé son clignotant, a tourné à gauche pour se garer près de l'entrée de l'hôpital. Puis il s'est avancé dans ma direction.

Papa, je suis là.

J'ai tendu les mains vers lui mais, comme avec maman, je n'ai rien pu toucher. Il continuait à marcher. Alors je l'ai suivi à travers les portes coulissantes des Urgences, le hall qui sentait le plastique et le détergent et je suis montée avec lui dans l'ascenseur. Il a appuyé sur le bouton du quatrième et s'est adossé à la paroi en fermant les yeux. Je pouvais enfin bien le voir.

Il avait l'air brouillon et il était mal rasé. Des cernes noirs semblaient gravés sous ses yeux et il avait maigri. Mais il était toujours aussi beau. J'ai essayé de lui prendre la main.

Papa, c'est moi.

Il a repris sa main et l'a glissée dans sa poche. L'ascenseur s'est arrêté et les portes se sont ouvertes. Avec Patrick, on l'a encore suivi. On a traversé l'unité de soins intensifs pour arriver enfin dans le département de cardiologie. Je frissonnais, mon estomac était noué. La dernière fois que j'étais venue là, c'était sur un brancard. Papa me tenait la main alors que j'étais déjà morte.

On a encore tourné à gauche et on est arrivés devant la porte de son bureau. Il a sorti de sa poche son trousseau de clés et on s'est engouffrés à l'intérieur. Clic, il a fermé la porte à clé. Il y faisait tout noir.

Attends, pourquoi est-ce qu'il ferme à clé ?

Il a allumé la lumière et j'en suis restée bouche bée. C'était comme après une explosion, ou le passage d'un ouragan. La pièce était sens dessus dessous. Entièrement nappée de papiers, d'articles de journaux, de radios, de photos, d'articles de revues scientifiques. Et de centaines de pages griffonnées. Il n'y avait plus un centimètre carré de vide.

Qu'est-ce que c'est que ce bazar ?

Il a peut-être un nouveau hobby ?
a plaisanté Patrick.

Et le pire, c'est qu'il avait raison. Le nouveau hobby, c'était moi. J'ai passé mes mains sur tous ses collages en avisant les titres des articles :

« Une adolescente de Half Moon Bay victime d'une crise cardiaque massive. »
« Une jeune fille de 15 ans meurt d'une faiblesse du cœur. Quels sont les risques pour vos enfants ? »

Sans compter toutes les images de moi en une et en couverture. Je ne savais plus quoi dire.

– Eh, a dit Patrick, tu es une vedette !

J'ai avancé vers papa, assis à son bureau. Il manipulait ses piles de papiers en s'arrêtant parfois pour découper un nouvel article ou pour attraper un manuel scientifique sur ses étagères pleines de poussière. Il griffonnait des pages entières de questions, de théories et de nouveaux cas. Je ne l'avais jamais vu comme ça. L'ombre de lui-même. Comme rendu fou par ce que la médecine ne parvenait pas à expliquer. Maman avait raison : il était obsédé. Il n'en sortirait pas avant d'avoir résolu son énigme.

Oh, papa, c'est juste un cœur brisé.
Pas de la haute science.

Je me suis pelotonnée sur son canapé en cuir noir, celui où Jack et moi, on s'installait pour écrire nos petites prédictions en découpant dans les carnets de papa : *Trois enfants. Un animal, un poisson rouge nommé*

Flipper. Tu vivras dans une villa. Tu seras un grand astronaute. Mais ça, on n'aurait jamais pu le prédire.

En le voyant dans cet état, j'ai eu une peine immense. Je gâchais la vie de tant de gens. Mais je voyais aussi combien il m'aimait et je l'en aimais plus encore. Il était comme ligoté par la plus grande énigme de toute sa carrière et cette énigme, c'était moi.

Le téléphone a sonné. Il a décroché.

– Oui ? Chérie, ne pleure pas, je sais, je suis désolé, moi aussi.

Je me suis redressée.

C'est maman. Ils se rabibochent.

– D'accord, a dit papa, d'accord, je me dépêche.

Il va rentrer, il va rentrer, il va rentrer !

J'ai bondi de joie, comme un petit enfant un matin de Noël. Papa a tapé un e-mail, repris sa serviette, éteint la lumière et a quitté son bureau. On l'a suivi vers le parking et on s'est engouffrés sur le siège arrière de la voiture.

– Dire que tu me fais monter dans cette vieille guimbarde ! a maugréé Patrick. La honte si quelqu'un me voit. Zoomer, c'est beaucoup plus rapide.

J'ai gloussé. Ça m'amusait de le voir en colère.

Papa a allumé la radio. Bon Jovi.

– Dieuquej'aimecettechanson ! Allez, papa, monte le volume !

Je n'avais jamais été aussi joyeuse depuis ma mort. J'ai commencé à chanter à tue-tête.

– *Woah, livin' on a prayer !*

– Hé ! Il va pleuvoir ! Rappelle-moi de t'inscrire à un cours de chant pour ton prochain anniversaire.

– C'est ça ! Parce que toi, tu sais chanter peut-être ?

Patrick a levé un sourcil.

– Tu veux voir ?

Il a rejeté sa tête en arrière et a commencé à s'agiter.

– *Take my hand, and we'll make it, I swea-ear ! Whoa, livin' on a prayer !*

Le plus dingue, c'est qu'il chantait super bien. Vraiment super bien. J'étais impressionnée.

– Eh ! Tu devrais participer à *La Nouvelle Star* !

Il a souri en me tendant un micro imaginaire.

– On essaie ensemble ?

J'ai fait de mon mieux mais au bout de cinq secondes, on a éclaté de rire. Tant pis s'il avait mis le doigt sur mon plus gros défaut. C'était bon de rire. Excellent, même.

Tout va bien à présent. Tout va s'arranger.

Patrick et moi, on s'est souri.

Brie ? l'ai-je entendu murmurer. *Tu te rappelles…*

– Hé ! me suis-je écriée en passant devant le marché. Papa, qu'est-ce que tu fais ? Tu as oublié de tourner !

C'est peut-être un nouvel itinéraire ? Bizarre…

On a pris l'autoroute, les rues familières nous passant devant les yeux sans qu'il s'arrête.

Il va peut-être acheter des fleurs pour maman ?

Arrivé à un feu rouge, papa a mis son clignotant.

– Papa, pourquoi tu tournes ici ?

Il a laissé passer deux voitures puis a tourné à gauche et s'est arrêté sur le parking du Hilton.

Patrick ne comprenait pas plus que moi. On a suivi papa dans le hall de l'hôtel décoré de grands chandeliers et de faux palmiers. On est montés dans l'ascenseur avec lui jusqu'au onzième étage.

Le 11, mon chiffre préféré.

On a longé le grand couloir à l'épaisse moquette et il a frappé deux fois à la porte de la chambre 1108. Quelqu'un a ouvert.

Une femme.

Oh, non, pas ça…

Cheveux courts, blonds, yeux très bleus.

Non.

– Daniel.
– Sarah.

Mme Brenner ?

J'allais m'étouffer. Mon professeur. Ma voisine. La meilleure amie de maman.

Papa a déposé sa serviette, a desserré sa cravate et contre toute attente, a fondu en larmes. Sans bouger tout d'abord puis en lui tombant dans les bras.

Non, pitié, non.

– Incroyable, a dit Patrick.

Mon Dieu, je vais vomir.

Et ils s'enlaçaient. Et ils s'embrassaient. Et je me suis enfuie dans le couloir sans me retourner.

Chapitre 17

Shot through the heart,
and you're to blame

La tête me tournait. Je ne savais plus que faire, où aller, quelle heure il était, en quelle année. Tout ce que je savais, c'est qu'on m'avait menti. Tout mon monde, toute mon existence n'était qu'une vaste blague. Si vos parents, dont on voit tout de suite qu'ils sont faits l'un pour l'autre, n'y arrivent pas, alors comment une fille comme moi peut-elle encore croire à des choses comme l'amour, la famille, etc. ?

J'étais enragée. Enragée contre papa qui avait tout gâché. Enragée contre Mme Brenner qui avait poignardé ma famille dans le dos. Enragée contre Jacob qui était entré dans ma vie sans que je ne lui demande rien. Enragée contre Patrick qui me montrait tout ça. Je n'arrivais même plus à le regarder.

Dans ma rage, j'avais zoomé sans m'en rendre compte et j'avais atterri au centre-ville de Half Moon Bay. Sans rater mon atterrissage, comme quoi. Dommage que je n'aie pas été d'humeur à pavoiser.

– Tu veux qu'on en parle ? a demandé Patrick.

– Non.

Dans la rue, on a croisé un vieil hippie qui fredonnait un air de Neil Young que j'ai tout de suite reconnu. Une des chansons préférées de papa.

Because I'm still in love with you,
I wanna see you dance again.
Because I'm still in love with you,
on this harvest moon.

– La ferme ! ai-je crié.

– Bon, je sais, c'est difficile, a dit Patrick en passant devant Past Moon, le restaurant préféré de Sadie. Mais j'ai quand même une surprise pour toi.

– Je hais les surprises.

– Ah bon ? Ce n'est pas ce qu'on m'a dit.

– On t'a dit des bêtises.

Je me dirigeai vers Pilarcitos Creek Park, histoire d'être un peu au vert, de prendre un peu d'air et de regarder quelques illuminés débattre de l'énergie solaire.

– Allez, a soupiré Patrick, tu sais bien que je suis allergique au soleil et au bonheur !

– C'est mon anniversaire alors c'est moi qui décide.

– Bon, mais pas ce soir. Ce soir, c'est moi.

– Si tu veux.

On a marché dans le parc et, en suivant les allées tortueuses, on a trouvé l'endroit idéal : une grande pelouse ensoleillée avec une belle vue. Je me suis allongée sous un peuplier, le visage au soleil. En luttant pour chasser l'image de mon père dans les bras d'une autre. Une autre en qui j'avais confiance. Une autre que j'aimais bien. Mais la nausée ne me quittait pas. Est-ce que maman savait ? Depuis quand se voyaient-ils ? Ils n'en étaient manifestement pas à leur premier baiser.

Ah ! c'était trop deg.

Un homme que j'admirais depuis toujours, qui avait toujours été mon héros, notre héros à tous. Je ne le lui pardonnerais jamais. C'était impardonnable. Il avait trahi maman. Il avait trahi Jack. Et Salami. Il nous avait tous trahis.

– Et juste aujourd'hui...

Ma voix tremblait et j'avais envie de pleurer mais j'étais trop en colère pour pleurer. L'amour est une épave.

Je me suis souvenue que les parents de Jacob s'étaient séparés quelque temps l'an dernier. Je l'avais soutenu pendant toute la crise. Je le revoyais encore en larmes l'après-midi où son père a quitté la maison. Je n'oublierais jamais son air malheureux. On aurait dit un petit garçon, effrayé, perdu, désolé de ne pouvoir rien y faire. Ce soir-là, j'étais rentrée chez moi à vélo et j'avais enlacé mes deux parents ensemble, me fichant bien qu'ils me crient dessus parce que j'avais une heure de retard. Je les avais serrés très fort en me réjouissant qu'on soit si différent des autres familles.

C'était le temps du bonheur, de la sécurité, rien n'aurait pu nous atteindre. Mais je me trompais sur toute la ligne.

Chapitre 18

16 candles make a lovely light

Avec Patrick, on a passé tout l'après-midi sur cette pelouse. Sans beaucoup parler. Sous le soleil hivernal de novembre, l'un près de l'autre, à regarder passer les nuages en leur inventant des formes.

– Un caniche, a dit Patrick.

– Tu es aveugle ou quoi ? Jamais vu un nuage qui ressemblait si peu à un caniche !

– Dis donc, ce que tu peux être dure quand tu veux !

– C'est un lapin, je te dis.

Les heures passaient. On regardait les skateurs, leurs caleçons remontant au-dessus de leurs jeans tombants. Des grands-mères promenaient leurs petits-enfants ou leurs chihuahuas habillés comme des poupées. Mais malgré cette farandole d'images, mon esprit revenait toujours à Jacob. À toutes les journées d'été qu'on avait passées ensemble dans ce parc, à traîner, jouer aux cartes, à dormir emboîtés l'un dans l'autre, nos lèvres se cherchant dès le réveil.

Est-ce qu'un jour je vais cesser d'avoir mal ?

Patrick ne faisait pas le malin. Soit il avait compris que je préférais qu'il ne lise pas dans mes pensées, soit il savait que sa réponse ne me conviendrait pas.

La brume du soir montait tandis que le soleil commençait sa lente descente dans la baie.

– J'ai peur qu'on doive y aller, p'tite dame, a dit Patrick en se levant.

– Aller où ? Je ne vais nulle part. Je dors dans le parc cette nuit.

– La bonne blague !

Il m'a prise par le bras, m'a arrachée au sol en un clin d'œil. Et j'ai senti de l'électricité sous mes pieds.

– Oh, non, ça recommence ! ai-je protesté.

On a décollé comme une fusée mais je gardais les yeux fermés pour ignorer l'altitude.

Tu ne feras jamais aucun progrès, trésor,
si tu ne regardes pas autour de toi.

Bon, d'accord.

J'ai entrouvert un œil et en effet, on était à dix mille pieds au-dessus de la Terre.

– Tu n'as pas intérêt à me lâcher !

Patrick nous ramenait au Coin. Enfin, c'est ce que je croyais mais quand nos pieds ont atterri un instant après, j'ai senti du sable dans mes chaussures.

Même en novembre, le sable restait chaud. C'est ça, la Californie.

J'ai reconnu les grandes falaises majestueuses, la ligne d'écume qui refluait depuis le rivage pour former des crêtes parfaitement dessinées. Je connaissais ces fleurs sauvages par cœur, les orange, les rouges, les pétales mauves qui dansaient dans la brise océane et qui venaient se nicher entre les rochers et les coquillages. C'était Mavericks. L'un de mes endroits préférés. La plage où on se retrouvait avec Jacob, où on dormait dans nos sacs de couchage les nuits d'été. Mavericks, c'était là où il m'avait poursuivie dans les vagues et embrassée à chaque fois qu'une étoile filait, trois fois de suite. Là où il avait volé mon cœur.

P-S. Si tu pouvais me le rendre...

De tous les endroits où Patrick aurait pu m'emmener, c'était le seul où je n'aurais jamais pu revenir seule. Même si c'était l'endroit qu'il fallait que je revoie.

– Comment l'as-tu su ?

Patrick a haussé les épaules d'un air fier en me décochant un sourire plein d'entrain.

– Devine. Regarde.

Je n'en revenais pas. Sur la plage, leurs ombres se découpant dans la lumière du soir, se tenaient mes trois copines. Emma, Tess et Sadie, en jean et sweat-shirt, avec leurs oreillers et leurs sacs de couchage, toutes les trois debout sur une grande couverture. Près d'elles, un feu de camp crépitait sous le ciel orangé. De les revoir comme ça ensemble, j'en ai eu les larmes aux yeux. J'ai regardé Patrick.

C'est quoi ça ?

Il a souri. *Une fête d'anniversaire. Pour toi.*
J'en étais abasourdie. Comment aurais-je pu le remercier ? J'ai ouvert la bouche mais en vain.
Il a mis un doigt sur ses lèvres.
– Elles t'attendent, cette soirée est à toi, amuse-toi.
Avant même que je réalise ce qui se passe, Patrick se penchait vers moi. Doucement, il a effleuré ma joue de ses lèvres. Mes yeux se sont fermés et l'espace d'une seconde, j'aurais juré que je sentais quelque chose palpiter dans ma poitrine, comme de délicates ailes de papillon battant à l'endroit de mon cœur. Même si c'était impossible.

Wouah.

Quand j'ai rouvert les yeux, Patrick avait disparu. Volatilisé dans l'air du soir, comme s'il n'avait jamais été là. Il faudrait vraiment qu'il m'apprenne ce tour. J'ai foulé le sable dans la direction de mes amies. J'aurais voulu courir vers elles, les embrasser, me serrer contre elles pour contempler la splendide boule de feu qui allait sombrer dans les vagues.

Leurs voix se sont faites plus proches, plus sonores et plus distinctes. Elles parlaient de moi.

– Je ne peux toujours pas croire qu'elle est morte, a dit Tess en serrant ses genoux contre son cœur et son sweat-shirt bleu. Ça me semble irréel.

Sadie a acquiescé.

– Moi, je n'y croirai jamais, a-t-elle répondu en regardant l'océan puis en enfouissant sa tête dans ses mains. Elle me manque tellement.

Les filles, je suis là !

– Je ne peux même pas le regarder, a dit Emma. Chaque fois que je passe devant lui, je... Elle a secoué la tête. Comment se peut-il qu'un garçon n'aille même pas à l'enterrement de sa copine ?

J'ai reculé d'un pas. Elles ne l'avaient donc pas vu au fond de l'auditorium. Ni elles ni personne.

La mâchoire de Tess s'est comme bloquée.

– Quelle ordure !

– Bon, qu'est-ce que vous avez apporté ? a dit Sadie, les flammes du feu de camp se reflétant sur sa peau.

Emma a sorti un t-shirt de son sac. Bleu marine, manches longues, un peu déchiré sur le devant. C'était celui de Jacob. Il l'avait oublié chez moi un jour et j'avais évidemment tout fait pour ne pas le lui rendre parce qu'il était doux et qu'il était tout imprégné de son odeur. Je m'étais endormie tant de nuits en le serrant contre moi.

J'aurais mieux fait de le jeter à la poubelle.

– Parfait, a dit Sadie. Et toi, Tessie ?

Tess s'est relevée pour fouiller dans la poche de son jean d'où elle a sorti une photo. Je me suis approchée pour mieux voir. C'était la photo que j'avais accrochée dans mon casier à l'école, avec Jacob et moi pendant le carnaval d'automne. Il l'avait prise du sommet du Twister, la plus grosse montagne russe de la ville, quelques secondes avant qu'on fasse notre première descente. J'ai les yeux fermés et j'éclate de rire. Il m'embrasse sur la joue. De loin la photo de nous deux que je préfère. Mais je parie que sa nouvelle petite amie a déjà mis la même dans son casier !

– Bon, à moi, maintenant, a dit Sadie en se penchant vers son sac, celui avec ses initiales cousues devant, STR, Sadie Taylor Russo.

*Il ne lui manque qu'une lettre pour être une star
mais elle le sera !*

Elle en a sorti une boîte que j'ai immédiatement reconnue parce qu'elle avait été à moi. C'était une vieille boîte à cigares, aux bords usés et recouverte de fleurs séchées que je n'avais cessé de recoller au fil des ans. Elle a soulevé le couvercle et en a retiré un journal en cuir rouge entouré d'un ruban en dentelle noire.

Je me suis effondrée sur le sable.

– Sérieusement les filles ? Vous êtes vraiment en train de me faire ça ?

C'était le journal intime que j'avais tenu tout le temps que je sortais avec Jacob. Plein de poèmes à trois sous et de lettres d'amour à l'eau de rose que je ne lui avais jamais envoyés parce que a) j'aurais eu trop la honte b) je ne les avais pas vraiment écrits pour lui mais pour moi.

Et puis parce qu'il aurait eu la preuve tangible que je n'étais qu'une énorme crétine.

Je suis devenue rouge écarlate. J'aurais préféré ne jamais revoir ce journal.

– Les filles, vous me permettez d'ouvrir la séance ? a demandé Sadie.

Elle allait donc vraiment le faire !
Elle allait lire ce truc !

Je me suis bouché les oreilles pour m'épargner la plus terrible humiliation de ma vie.

– Allez, vas-y ! a dit Emma en serrant la main de Tess.

Sadie a délicatement retiré le ruban, s'est levée et s'est plantée près du feu. Elle a ouvert le carnet en souriant.

– Brie, c'est pour toi.

Et là, elle a commencé à mettre le journal en pièces. Ma mâchoire a failli se décrocher en la voyant jeter chaque page dans le feu, des étincelles voletant et soufflant dans le ciel du soir tandis que les flammes anéantissaient les mots, les vœux et toutes les pensées secrètes que j'avais formés pour l'amour de ma vie.

C'était beau, c'était magique. Et pour la première fois depuis ma mort, j'ai senti quelque chose s'assouplir, s'alléger, s'apaiser. Et petit à petit, me libérer.

– Ouais ! criait Emma en jetant le t-shirt de Jacob dans les flammes. Au feu, salopard !

J'ai éclaté de rire en voyant le t-shirt se tordre sous les flammes.

Enfin, Tess a brandi notre photo. Elle a embrassé mon visage, a respiré un bon coup avant de déchirer l'image en deux, puis en trois puis en mille morceaux qu'elle a lancés et que la brise d'automne a emportés. Des confettis de souvenirs envolés, pfft...

Toutes les quatre, on est restées là à regarder cet autodafé joyeux, coloré, festif.

– Joyeux anniversaire, Eags, a murmuré Tess.

– Tu nous manques… a dit Emma d'une voix brisée… tellement.

– On t'aime, Brie ! a crié Sadie à pleins poumons.

Une émotion débordante, mais positive cette fois,
a assailli ma poitrine. J'avais eu tellement de chance
d'être leur amie. Une chance inouïe.

Je vous aime aussi.

Elles se sont pris les mains, ont avancé vers l'eau
et, tandis que les derniers rayons de soleil éclairaient
l'horizon, mes meilleures amies m'ont soufflé des
baisers pleins de larmes pour me dire au revoir.

Chapitre 19

Every breath you take

Le feu a brûlé toute la nuit. J'ai regardé les étoiles briller et s'éteindre pendant qu'elles dormaient. J'éprouvais une étrange sensation de paix.

Je crois que je suis prête.

Prête à quoi ?

À rentrer au Coin, à bouger.

Si seulement c'était aussi simple, trésor.

Un peu avant l'aube, je me suis penchée au-dessus de Sadie et j'ai caressé sa main. J'ai vu ses paupières remuer. À ma grande surprise, elle s'est redressée pour attraper son téléphone. Puis elle s'est frotté les yeux et a enfilé un autre sweat-shirt avant de s'extraire de son duvet. Sans réveiller les deux autres, elle a enfilé ses Converse et s'est mise à marcher. J'ai marché avec elle. En direction du nord de la plage puis autour des dunes. Elle est allée là où étaient installées les tables à pique-nique, un endroit où on est tous allés des millions de fois, où, après l'école, on organisait des barbecues et des matchs de beach-volley pendant les vacances.

Sadie s'est assise à une table. Je me suis assise près d'elle. Même au réveil, elle était magnifique. Avec ses longs cheveux bruns bouclés, sa peau mate, ses yeux noisette pleins de vie.

Si seulement tu pouvais me voir,
savoir que je suis là.

Ensemble on a contemplé le jour se lever dans un ciel pastel, une symphonie de violet, de bleu et de rose. Une aube somptueuse. Emma et Tess allaient regretter d'avoir manqué ça. Quelles flemmardes, ces deux-là ! Deux vraies marmottes capables de dormir toute la journée.

– C'est tellement beau, a dit Sadie avant de se mettre à pleurer.

– Sadie ?

Je ne l'avais jamais vue dans cet état, tremblant sous les sanglots.

– Oh, ma douce, ne pleure pas, je suis là.

– Brie, a-t-elle dit d'une voix étranglée, je regrette… je regrette tellement.

J'ai compris à quel point ma mort l'avait touchée, elle et les autres. C'était une chose de partir mais de rester, c'était encore pire.

– Ça va, ça va, ai-je murmuré en lui caressant le dos, ce n'est pas de ta faute, Sadie, arrête de pleurer.

Je l'ai prise dans mes bras. Je voyais ses larmes s'échouer dans les interstices de la vieille table en bois.

Ça va aller, tout va s'arranger.

Peut-être était-ce parce que j'avais fermé les yeux. Ou peut-être à cause de ses pleurs mais je n'avais pas remarqué la silhouette qui s'avançait vers les dunes et dont le sable amortissait les pas.

– Sadie ?

Mais cette voix…

Je me suis retournée et je l'ai sentie qui échappait à mon étreinte. Elle s'est mise à sangloter encore plus fort. Et là, j'ai vu dans un ralenti cruel et déchirant ma plus grande, ma plus douce amie de tous les temps, courir se jeter dans les bras de Jacob Fischer.

Chapitre 20

*What becomes
of the broken hearted ?*

Mon âme était comme engourdie.

C'est elle, c'est Sadie.

Je suis tombée à genoux en voyant mon premier amour prendre les mains de ma meilleure amie. Je ne pourrais dire combien de temps ils sont restés ainsi avant qu'il ne regagne sa voiture et que Sadie ne rejoigne Emma et Tess. Ni combien de temps il a fallu à Patrick pour me retrouver, roulée en boule, les yeux perdus vers l'horizon. Le temps n'avait plus aucune importance. Parce que j'étais en enfer.

– Essaie de ne pas y penser, a dit Patrick en me ramassant et en me reconduisant au Coin.

Mais je n'avais qu'une image en tête : Sadie et Jacob enlacés. Elle avait les yeux fermés tandis qu'il la serrait. Après tout, c'était logique : ils avaient été si proches depuis l'enfance. Elle devait avoir été amoureuse de lui depuis le début, et lui, d'elle.

*Non, ça suffit maintenant ! Vous êtes à moi,
tous les deux.*

Et soudain, je me suis retrouvée à repenser à tous les moments que j'avais partagés avec Sadie. Toutes ces nuits où nous avions dormi l'une chez l'autre, nos fous rires, nos discussions de filles sur les garçons, les seins, l'absence de seins, le sexe, les disputes, le mascara dégoulinant, les balades à vélo, les anniversaires, les chansons de Britney, les sms, le shopping après l'école, les coups de téléphone qui duraient quatre heures où on parlait de tout et de rien. Autant de souvenirs familiers, précieux qui soudain se résumaient à un seul mot : MENSONGE.

Toutes nos confidences, les plus intimes, celles que vous ne confieriez même pas à votre sœur parce qu'entre votre meilleure amie et vous, rien ne peut se mettre en travers. Eh bien, devinez quoi ? Cette amitié n'était qu'une vaste blague, une mauvaise farce dont j'étais le dindon.

Sadie qui savait tout de moi, y compris ce que je ne savais pas moi-même. Avec qui j'avais grimpé sur le toit de ma maison, une fois mes parents couchés, pour faire des vœux en regardant les étoiles filantes ; avec qui j'avais ri une nuit entière quand on avait découvert que ses parents s'étaient abonnés à la chaîne Playboy ; avec qui j'avais appris des milliers de tours de cartes, qui était venue à l'enterrement de ma grand-mère Rita et qui m'avait soutenue à tous les moments de ma vie.

Et c'était encore Sadie que j'avais appelée en premier quand j'étais rentrée après cette nuit d'été, le 11 août 2010, quand mon cœur battait à tout rompre, que mes joues étaient en feu et que je tremblais de partout, de bonheur, cette nuit où j'avais perdu ma virginité.

Sadie avait tout de suite deviné.

– Tu l'as fait ?

– Peut-être ou peut-être pas, avais-je gloussé.

– Tu l'as fait ! Alors comment c'était ? Merde alors, Brie, comment c'était ?

Ses mains, ô mon Dieu ! ses mains sur moi.
Et ses baisers. Si doux, si profonds, si audacieux,
si parfaits.

– Alors c'était bien ? avait-elle dit, impressionnée.

J'avais dû me mettre la main sur la bouche pour ne pas rire trop fort et ne pas alerter Jack ou l'un de mes parents.

– Tu as eu mal ?

Nom d'un chien, oui.

– Non, pas vraiment.

– Espèce de petite garce, je ne te crois pas !

– Enfin, si, un peu…

– Un peu comment ?

– Sadie ! avais-je crié. Bon, d'accord, j'ai eu SUPER mal ! Tu es contente ?

– La vache ! Je suis verte de jalousie !

Ce n'était pas une plaisanterie. Tellement jalouse que tu me l'as piqué !

Je me regardais dans le miroir de ma chambre pour voir si j'avais changé. Mes joues étaient roses et chaudes. Ma peau toute vibrante. Est-ce que ça se verrait ?

– Est-ce qu'il te l'a dit ? avait-elle demandé.

– Dit quoi ?

– Brie ! À ton avis ?

Ses mains dans mes cheveux.
Ses yeux plongés dans les miens. Ses mots, ardents comme des braises.

Je t'aime.

Il l'avait dit. Non seulement dit mais pensé.

En fait, non.

– Allô ?

Je me suis renversée sur mon lit en souriant.

– Oui, il l'a dit.

Elle n'a pas répondu. C'était normal car pour la première fois, il m'arrivait une grande chose à moi alors que d'habitude, c'était elle qui avait de l'avance. Elle avait perdu sa première dent avant moi, appris à faire du vélo avant moi, eu ses règles un an avant moi et bien qu'on n'en ait jamais parlé, il était entendu que ce serait elle qui connaîtrait l'amour avant moi.

Sauf que non. Pas cette fois. Parce que cette fois, c'était moi la gagnante de la course. Prems. Prems devant Sadie Russo.

Pour une fois.

On a passé l'heure suivante à discuter et décortiquer chaque détail, alors que j'avais entraînement à la piscine dès sept heures le lendemain matin. Mais je m'en fichais. J'aurais pu faire un million de longueurs dans dix piscines olympiques que j'aurais de toute façon gardé ce sourire béat. Pourquoi ? Parce que quand vous êtes amoureuse, le monde est plus beau. Plus ensoleillé. L'air, plus parfumé, vos cheveux, plus soyeux et que vous souriez à tout le monde, les bébés, les inconnus, les vieux couples qui se promènent sur la plage. Un sourire qui vous vient de ce secret qu'à présent vous connaissez parce que vous faites partie des diplômés du Grand Bain, du Grand Club des Gens Super et que ça se voit.

– Tu as changé de coiffure ?

Non.

– Tu as changé de style ?

Même pas.

– D'amis ?

Non, continue.

Vous êtes là tout sourire mais personne ne trouve la raison de cette métamorphose. Et quand vous tournez le dos, les gens se demandent ce qui vous rend si radieuse.

It must have been love but it's over now.

It must have been good, but I lost it somehow.

De grosses larmes ont roulé sur mes joues. Incontrôlables. Intarissables.

– Ch…, a murmuré Patrick. Je suis là, trésor, je suis là.

Comment ont-ils pu me faire ça, à moi ?

La blessure dans ma poitrine s'est rouverte, une plaie saignante, profonde, à vif. L'enfer n'est pas seulement une affaire de bûcher et de flammes. C'est encore bien pire que ça. L'enfer, c'est quand les gens que vous aimez le plus vous blessent et vous arrachent votre âme. J'ai senti ma poitrine se rétrécir et s'engorger.

Depuis quand est-ce que ça dure ? Une semaine ? Un mois ? Peut-être plus ?

C'était comme une tempête sous mon crâne, avec des sirènes hurlant sous mes paupières. Je me débattais dans le sable en pleurant mais on ne m'entendait pas à cause du cri des mouettes et de la rumeur du Pacifique. En plus, j'avais du sable coincé entre les orteils et je détestais ça.

Soudain, tout s'est éclairé. Tous les regards et les silences gênés entre Jacob et moi. Toutes les fois où il s'était écarté quand j'avais voulu lui prendre la main ou glisser la mienne dans sa poche de jean. Je ne m'étais pas trompée, j'avais bien senti quelque chose de différent les dernières semaines avant ma mort, un changement lent mais permanent, mais je n'avais pas voulu voir les choses en face. Une distance s'était creusée, comme un vent froid entre nous. Mais j'avais préféré regarder les nuages s'amonceler au lieu d'aller me mettre à l'abri. Et cette attente m'avait coûté cher puisque l'orage s'était transformé en ouragan.

Mon instinct m'avait pourtant mise en garde. Je n'étais ni paranoïaque ni folle. Jacob m'avait menti. Sadie m'avait menti. Elle m'avait écoutée et observée pendant des mois ; elle avait récolté tous mes secrets, un à un, de façon à les utiliser contre moi.

– Ça fait mal, ai-je murmuré, très mal.

– Je sais, je ne te lâche pas, a répondu Patrick d'une voix douce.

Je revoyais les empreintes des pas de Jacob et de Sadie se chevaucher dans le sable. Je manquais d'air.

– Respire, a dit Patrick en effleurant mon front de ses lèvres, on y va.

L'instant d'après, j'ai senti le sol se dérober sous nos pieds et quand j'ai rouvert les yeux, ma tête était blottie contre le torse de Patrick tandis que mon ancienne vie se consumait dans les flammes.

Chapitre 21

1, 2, 3, 4,
tell me that you love me more

Dans mon Coin de paradis, tous les jours se ressemblaient. Au menu, pizza aux aubergines et aux champignons, Sprite et Frosties nappés de chocolat, carrelage taché, sièges amochés, vieille télévision et ventilateurs poussifs pendus au plafond qui me rappelaient tous les moments que je ne partagerais plus jamais avec mes meilleures amies.

Je m'en fichais. On surestime beaucoup ses meilleures amies.

C'est sûr, j'avais de quoi me changer les idées et oublier mes horribles découvertes. J'ai appris à découper les motifs en forme de flocons de neige dans les serviettes en papier, à lancer un ballon de foot et à me mettre des tartines d'eyeliner grâce à mes nouveaux amis, l'ailier droit et la reine gothique. Madame Mots Croisés m'a même prise sous son aile et m'a aidée à finir ma première grille.

En fait, dans mon petit Coin de paradis, la vie, c'était les pizzas, le surf et des paquets de temps à tuer, du temps qui, contrairement à ce qu'on pense, n'aide pas toujours à panser ses blessures. Parfois, ça les rendait même encore plus douloureuses.

– Tu veux aller faire un tour ? a demandé Patrick d'un air enjoué.

La barbe.

– Tu veux aller piquer une tête ?

– Négatif.

– Faire un tour de poney ?

– Non, merci.

– Faire un câlin ?

J'ai brusquement cessé ma lecture.

– Pardon ?

Il a souri.

– C'était juste pour te faire réagir.

– Tu es dingue.

– Vous avez vu, a dit Patrick aux autres membres de l'assistance, elle m'aime bien, hein ? Vous êtes témoins !

– Je suis sûr qu'elle te déteste, a répondu le garçon à la DS, sans quitter des yeux son écran.

– Des gamins ! Ils ne comprennent rien ! a persiflé Patrick.

Je l'ai ignoré et j'ai replongé dans le dernier paragraphe. Ensuite, j'ai refermé le *D&J* et l'ai envoyé valser sur la table.

– Ça y est, j'ai fini !

– Alors ? a-t-il demandé. Qu'est-ce que tu as appris aujourd'hui, la sauterelle ?

– Que tu sens le poivron.

– Très drôle.

– Je sais.

– Alors qu'est-ce que tu as appris ?

– Que ta mè…

– Ne me dis pas qu'elle sent le poivron elle aussi ?

J'ai fait une grimace.

– Eh bien, si.

Il a soupiré en regardant mon collier.

– Au fait, je ne t'ai jamais dit que je le trouvais joli. J'aurais dû le faire il y a longtemps.

J'ai touché mon pendentif. Patrick ne me quittait pas des yeux.

– Tu l'as eu où ?

Je ne répondais pas.

– Sujet sensible ?

– J'ai envie d'aller sur le pont, ai-je lâché d'un seul coup.

– Pardon ? a-t-il dit, surpris. Et pour quoi faire ?

– Je ne sais pas, je me sens prête.

Il s'est frappé le front en remuant la tête.

– Quoi ? ai-je dit en rougissant.

– Rien, je me demande juste si tu n'es pas un peu maso.

– Non, ai-je bredouillé.

Il a froncé les sourcils.

– C'est drôle, moi, je pense que si.

– Et moi, je pense que tu es un idiot.

– Un idiot ?

– Oui, un gros idiot.

– Idiot ou pas, tu n'iras pas. Tu n'es pas prête.

– Ah oui ? Et qui a décrété que c'était toi le chef ?

– Moi. C'est moi le chef parce que toi, tu as renoncé à toute logique et à tout bon sens.

– Je veux juste…

– Quoi ? m'a-t-il coupée. Tu veux juste quoi ? Les revoir ensemble ? Les voir roucouler sans toi ? Tu penses que tu peux affronter ça ? Eh bien, moi, je ne le pense pas.

– Ton avis m'importe peu.

– Oh, ça je sais, tu ne t'es pas gênée pour me gâcher la vie tous ces derniers mois en broyant du noir.

Ces derniers mois.

Il avait raison. L'eau avait coulé sous les ponts. Au Coin, un vieux sapin en plastique trônait dans la vitrine alors que Noël était déjà loin. J'étais morte depuis si longtemps que tous mes proches avaient dû m'oublier. J'imaginais les nouveaux collégiens tourner les pages du livre annuel et regarder ma photo en me jugeant ringarde, périmée, comme le

190

jean rose que j'adorais autrefois et que je ne porterais plus pour rien au monde.

– Ah oui, gâché la vie ? ai-je répliqué. Désolée mais je n'ai pas remarqué que tu avais mieux à faire.

– Bon, très bien, a-t-il dit en se frottant les mains, tu veux qu'on attache ces deux malheureux sur une voie de chemin de fer ? Qu'on les noie dans la mer ? Qu'on les jette dans une décharge ?

J'ai souri.

– Je suis contente de voir qu'on parle le même langage.

– Allez, arrête, a-t-il dit d'une voix ferme, je sais que tu es meurtrie, blessée, etc. mais tu ne crois pas que tu devrais tourner la page ? Vivre et oublier ?

– Tourner la page ? Comment peux-tu dire ça ? Tu as oublié ce qu'ils m'ont fait ou quoi ? Je me fiche de ce que tu penses. Je ne peux pas les laisser s'en tirer comme ça. Ils ne méritent pas de s'en tirer.

– Écoute-moi, miss Grand Amour, j'étais d'accord pour une petite vengeance mais tu l'as eue. Ce qui est arrivé est arrivé, il va falloir que tu l'acceptes tôt ou tard et je ne vais pas continuer à encourager tes montées de fiel et de rancœur ! Tu n'as rien appris de nouveau, on dirait ?

– Détrompe-toi, ai-je répondu, j'ai beaucoup appris au contraire. Je viens de lire par exemple qu'il valait mieux se contrôler soi-même plutôt que de vouloir contrôler les choses et que sur terre, quand on trouvait un objet, il fallait se l'approprier.

J'aimais bien cette règle. Ça permettait d'expliquer tous les vols de chaussettes et de diamants.

– Ça, c'est profond.

– J'ai appris aussi qu'il ne fallait jamais zoomer l'estomac vide, ai-je continué en mangeant mes Frosties la bouche ouverte. Mais maintenant que ça c'est fait…

– Pour la dernière fois, je te répète que tu n'iras pas.

– Et pour la dernière fois, je te dis que ce n'est pas toi le chef !

– Selon qui ?

– Selon toi, rappelle-toi, c'est moi qui décide. Je suis prête quand je dis que je suis prête. Et si tu ne veux pas venir avec moi, tant pis. Parce que je n'ai pas besoin de toi. Je n'ai plus besoin de personne !

– Wouah ! a lancé Patrick. Tu es vraiment sans cœur !

– C'est vachard.

– Oh, et puis zut ! a-t-il dit en finissant mon bol de Frosties. On n'est jamais mieux que chez soi !

Chapitre 22

Every time I see you falling,
I get down on my knees and pray

Quand on tombe d'un endroit très haut, comme un avion, un gratte-ciel ou un pont, il paraît qu'on n'a pas vraiment le temps de paniquer. Qu'on ne se rend pas compte de ce qui arrive et qu'au moment d'atterrir (façon de parler), on est déjà trop mort pour subir le choc de la chute.

Eh bien, devinez quoi, les gars ? C'est du baratin !

Parce que cette fois, je suis tombée au ralenti. Je savais que le vent soufflait même si je ne l'entendais pas. Je savais que mes membres remuaient dans tous les sens même si je ne sentais rien. Je savais que la surface de la mer se rapprochait même si j'avais trop peur de regarder. Jamais de ma vie, je n'avais eu une peur pareille.

– Dis-toi que c'est un jeu, avait dit Patrick, et tu verras.

Un jeu ? Tu es dingue ou quoi ?

– Avale l'air, trésor, criait-il en arrivant sur ma droite.

– Ouais ! Regarde un peu !

Et soudain, j'ai éprouvé une sensation familière courir sur ma peau et dans mes veines. La bonne vieille adrénaline qu'on éprouve en compétition. Je fonçais, les bras en avant, en survolant des câbles orange, de grosses tiges d'acier et des écrous gros comme ma tête.

– Et puis, arrête de m'appeler trésor !

L'océan se rapprochait à la vitesse grand V.

Neuf mille mètres.
Trois mille mètres.

– Wouah ! Cette vitesse ! Que c'est bon !

Deux mille mètres.

– On y va ! Boulet de canon !

Il a collé ses genoux à sa poitrine et rentré son menton. Il était totalement hors de lui. On tombait trop vite et on allait s'écraser. Je savais, grâce aux plongeons, que tout était une question d'entrer dans l'eau avec le bon angle et que le cas contraire pouvait conduire à la catastrophe. J'ai tendu mon corps au maximum pour former une ligne verticale. Tête en bas, bras le long du corps et orteils pointés vers le ciel.

Trois cents mètres.

J'ai fermé les yeux et préparé mon corps à l'atterrissage.

Trente mètres.

Je n'entendais plus que le battement de mon cœur, enfin du souvenir de mon cœur. Et soudain, j'ai pénétré dans un énorme trou, un tunnel où tourbillonnaient des planètes, des étoiles et l'océan, la tête la première dans la nuit noire. On aurait dit une machine à laver intergalactique propulsée par un turbo. Mais tandis que je me laissais porter, par l'obscurité absolue, une seule et unique pensée a rallumé mon cerveau.

Jacob.

Si je n'avais pas réussi à l'avoir, alors personne ne l'aurait.

– Hé, trésor, tu es vivante ? Enfin bon, tu vois ce que je veux dire ?

Je me tenais l'estomac en grognant.

– Faut toujours que tu parles ?

Je ne sentais plus mon corps. Mes cheveux étaient trempés. Mes bras et mes jambes en confiture. J'ai tenté d'ouvrir les yeux mais j'étais comme éblouie.

– Ça fait quoi de ressembler à un œuf pourri ? a dit Patrick, taquin. Je dirais que c'était assez joli mais ton piqué n'avait rien à voir avec mon boulet de canon. La prochaine fois, essaie d'être plus créative.

– J'y penserai.

Je me suis redressée en retirant une algue énorme qui me couvrait le visage. Mes yeux sont restés ouverts et j'ai compris qu'on avait atterri sur la plage de Crissy Fields, juste à côté du Presidio.

– Ça m'a l'air intéressant, a dit Patrick.

– Quoi ?

– Je ne savais pas que c'était une plage de nudistes. La Californie n'est plus ce qu'elle était.

– Qu'est-ce que tu racontes ? Ce n'est pas une plage nudiste.

Et là, j'ai senti le vent caresser ma fesse gauche.

Nom de Dieu, mais je suis nue !

– Où sont mes vêtements ? ai-je crié en essayant de me couvrir comme je pouvais. Retourne-toi, Patrick !

– Ne t'en fais pas, a-t-il répondu en se cachant les yeux, je n'ai rien vu.

Je me suis touché le cou et, par miracle, mon collier était toujours là. Mais un crabe a surgi sous mon aisselle en me faisant hurler.

– Tu vois ! Je t'avais dit que tu n'étais pas prête. On vient tout juste d'arriver et voilà que tu pars en vrille, a-t-il dit dans un soupir. Ah, les femmes...

J'ai balayé la plage du regard et j'ai repéré ma robe, complètement trempée et échouée sur un bout de bois, à quelques mètres de là où on était.

– Reste où tu es, ne bouge pas, sinon tu auras affaire à moi, compris ?

– Pardon ?

– J'ai dit, compris ?

– Quoi ?

– Tu es sourd ou quoi ?

– Mais non, trésor, j'ai compris. Mais essaie de te calmer un peu.

J'ai marché dans le sable en faisant de mon mieux pour me couvrir les seins. Enfin, le peu de seins que j'avais. J'ai essoré ma robe pleine de sable et d'algues et je l'ai secouée. Après trente-six manipulations, j'ai enfin pu la passer mais le problème, c'est qu'elle avait beaucoup rétréci.

– Jolie, a dit Patrick quand je l'ai autorisé à regarder.

J'étais verte.

– Je ne sais pas pourquoi je dis ça, en fait tu es toujours jolie.

Je tirais sur ma robe pour qu'elle recouvre mes fesses qui, malgré les tranches de pizzas, n'avaient heureusement pas grossi. Et Patrick, je dois dire, s'est comporté en gentleman. Je commençais à m'habituer à ses piques mais c'était la première fois qu'il me faisait un vrai compliment. Sans compter qu'il venait de me voir nue comme un ver.

– Tu peux m'aider à fermer, ai-je demandé timidement en lui montrant la fermeture Éclair dans mon dos.

– Oui. Volontiers.

J'ai senti ses doigts sur ma nuque tandis qu'il me relevait les cheveux délicatement. Et soudain, l'air s'est mis à sentir le brûlé et j'ai vu ma peau s'enflammer.

– Ne va pas te faire des idées, l'ai-je averti.

– J'en ai vu d'autres, tu sais, a-t-il répondu froidement. J'ai eu trois sœurs.

Trois sœurs ?

Et c'est comme si je les voyais : deux sœurs plus âgées que lui, cheveux châtains, et une plus jeune, blonde. Leurs prénoms aussi, je les voyais : Julia, Kate et Alex.

Mais comment pouvais-je le savoir ?

– Ça y est, c'est presque… fini ! a dit Patrick en se remettant devant moi, l'air ravi. Tes désirs sont des ordres.

J'ai cherché une réponse appropriée mais mes joues étaient en feu.

Brie, ne fais pas l'idiote. Dis quelque chose.
N'importe quoi mais parle.

– Ça va ? Tu as l'air bizarre, a-t-il dit.

– Ça va, juste un peu groggy par la chute.

Le soleil a surgi derrière un nuage, portant une ombre sur son visage. J'ai eu un frisson puis me suis ressaisie. Le brouillard n'allait plus tarder à tomber.

– On devrait y aller.

– D'accord, trésor, c'est toi le guide.

J'ai pris sa main en essayant de visualiser notre destination, comme c'était dit dans le *D&J* mais je ne voyais rien. J'aurais dû avaler un autre morceau de pizza avant de décoller. Et le vent s'est mis à souffler en rafale, le soleil à disparaître et la terre à valser sous nos pieds. BOUM ! On a atterri dans un champ, sur une colline.

– Bien ! a dit Patrick. Tu as un don inné mais bon, dépêche-toi.

– Désolée.

Je l'ai lâché, serrant mes vêtements contre moi. J'ai respiré un bon coup en regardant attentivement le champ, la longue bande de terre, l'herbe et le ciel.

– On est de retour, ai-je dit en souriant. J'ai réussi.

Le voyage avait été un peu sportif mais tout ce qui comptait, c'est que j'avais réussi à zoomer jusqu'à Half Moon Bay. J'avais une incroyable sensation de liberté et de maîtrise.

Le meilleur zoom de tous les temps.

– Ne te moque pas, ai-je dit, je fais de gros progrès, hein ?

Patrick était trop occupé à vérifier notre position pour me répondre. Et pour cause, le littoral californien était en train de faire sa mue printanière : les collines étaient recouvertes de fleurs dont les pétales luisaient dans la nuit. Pâquerettes, coquelicots, lis sauvages, marguerites, edelweiss, des bandes entières de bleu, de rouge et de jaune d'or. Même les arbres semblaient plus grands, étirant vers le ciel leurs branches engourdies par l'hiver. L'air sentait bon le printemps.

Le printemps.

Il n'y avait plus rien pour me barrer la route à présent. Rien, à l'exception de centaines de pierres tombales blanches.

– Destination atteinte, ai-je lancé en me sentant de retour chez moi.

Et pour cause, nous avions atterri en plein cimetière.

Chapitre 23

Hey, hey, you, you,
I don't like your boyfriend

Je me suis agenouillée devant ma tombe. Mon nom était gravé dessus.

– Ça semble irréel, ai-je dit dans un murmure.

– Pourtant ça ne l'est pas, a dit Patrick.

Je grattais, je criais, je suffoquais.

J'ai senti le picotement dans mes yeux. Ne pleure pas, ne pleure surtout pas.

Je souffrais, je me déchirais,
je me brisais en deux.

Une larme m'a échappé pour se perdre dans l'herbe haute au milieu des fleurs sauvages.

– Est-ce que je reçois des visites ? ai-je repris en m'essuyant le nez mais je ne sentais pas ma main. Pourquoi est-ce que je n'y arrive pas ? Pourquoi ?

– Attends, a-t-il dit en s'agenouillant près de moi. Il a pris ma main dans la sienne. Touche le sol... Sens la lumière comme elle vient l'éclairer, comme ça respire...

J'essayais de répondre à ses injonctions en regardant nos deux mains jointes.

– Je ne sens rien, rien…

– Calme-toi, souviens-toi de ce que dit le bouquin, il ne faut pas contrôler les choses mais il faut se contrôler soi-même.

Mais comment ?

Comment contrôle-t-on ses sensations ?

– Fais semblant si c'est nécessaire, fais semblant et ça viendra.

J'ai essayé de me concentrer sur ce que je voyais, de puiser la force de me contrôler.

Je sentais les doigts de Patrick entre les miens tout couverts de boue, de poussière et de larmes.

– Je n'y arrive pas.

– Si.

– Mais j'essaie.

– Essaie encore.

Je me suis concentrée si fort que j'ai cru m'évanouir. Je regardais le sol en essayant de retrouver le contact avec mon ancien monde. Je bataillais avec tout ce qu'il me restait de forces. Mais en vain. J'ai baissé la tête, en me maudissant. Puis, soudain, j'ai senti comme une morsure.

– Aïe ! C'était quoi ?

– Une fourmi ? a suggéré Patrick.

J'avais sur le pouce une trace qui était en train d'enfler et de devenir rouge. Je n'en revenais pas.

– Elle m'a mordue ! Elle m'a mordue et je l'ai senti !

– Ça fait du bien, hein ? Tu vois, je savais que tu en étais capa...

Je ne l'ai pas laissé finir et je me suis jetée à son cou. À notre plus grande surprise à tous les deux.

– Wouah !

Il a fini par légèrement me repousser mais, l'espace d'une demi-seconde, nos visages se sont effleurés. Je ne me souvenais plus de la raison pour laquelle nous étions revenus à Half Moon Bay mais de son cœur battant contre ma poitrine. C'était chaud et régulier.

Et devant ma pierre tombale, une image m'a saisie. Celle d'un garçon et d'une fille courant l'un vers l'autre au milieu d'un champ de fleurs sauvages, l'écho de leurs rires résonnant dans la nuit cristalline. Un frisson m'a parcourue. Comme si ce souvenir ne m'appartenait pas.

– On a de la compagnie, a dit Patrick brusquement en me lâchant.

J'ai suivi son regard et j'ai vu une silhouette approcher. Des cheveux bruns et un corps menu. Des yeux perçants. Ardents. Des yeux que j'aurais reconnus à mille lieues à la ronde.

Sadie.

– Que fait-elle ici ?

Patrick a haussé les épaules.

– Disons que tu as plus de visites que tu ne croyais, non ?

Elle portait une brassée de tournesols et de marguerites. J'aurais voulu les lui jeter au visage.

Attends, attends, on ne sait jamais, ai-je entendu
Patrick me souffler.

Je me suis levée pour l'accueillir, mes joues devenant plus rouges à mesure qu'elle avançait vers moi.

– Qu'est-ce que tu veux ?

Elle s'est arrêtée à trente centimètres de ma pierre tombale, sans me voir.

– Brie, a-t-elle murmuré, tu dois me haïr…

– Gagné.

– Mais tu me manques tellement. Et je suis tellement désolée. J'ai détesté ne rien te dire mais ça ne dépendait pas de moi. Ce n'était pas à moi de te le dire…

– N'essaie même pas de t'excuser, ne…

– Elle essaie, m'a coupée Patrick d'une voix douce. Écoute-la.

Je n'ai rien répliqué.

– Bien, a dit Patrick.

Elle n'avait pas changé du tout. Les mêmes cheveux parfaits. Le même teint mat. Les mêmes sourcils frondeurs. Je dois l'avouer : elle était splendide. Et malgré sa peine, ces derniers mois lui avaient réussi. On voyait qu'elle était heureuse.

Tu m'étonnes !

J'ai regardé Sadie contempler ma pierre, guettant le moindre signe d'émotion, de culpabilité, de chagrin ou que sais-je, et me demandant comment ils avaient fait pour garder cet horrible secret. Sous mes yeux. Et, à n'en pas douter, sous le nez de tout le monde. Emma et Tess ne devaient être au courant de rien de ce qui s'était passé pendant la nuit de l'autodafé. Toutes ces pensées me retournaient l'estomac, toute cette trahison. Et tout cet amour mensonger.

Elle a beau être désolée, ce n'est pas comme ça qu'on traite quelqu'un qu'on aime.

Ça n'avait pas dû être facile de faire tout ça en douce, de mentir tout ce temps, de voler des baisers dans les coins, des baisers qu'elle m'avait volés, merci. Elle en avait un culot pour venir ici, pour me parler sans que je puisse répondre, sans que je puisse lui dire qu'elle n'avait rien à faire sur mon territoire.

Ton territoire ? a soufflé Patrick. *Tu plaisantes ? Tu te crois dans* West Side Story *ou quoi ?* Et il s'est mis à singer une chorégraphie digne de Broadway en chantant *Tonight, tonight, we'll get them back tonight.* Je ne me suis pas privée de sourire. Un sourire un peu crétin mais tant pis. Puis le téléphone de Sadie a sonné. Elle l'a extrait du sac marron qu'elle avait acheté avec moi au centre commercial l'an dernier.

– Pas vraiment de saison, Sadie la Sadique ? ai-je dit.

Patrick a levé un sourcil.

– Il n'y a pas de sadique ici, surtout pas elle.

Sadie a sorti son IPhone.

– Salut, mon cœur, ça va ?

Mon cœur ?

– Oui, je me balade.

Tiens, tiens, et moi donc, je suis en balade ?

– Du calme, tigresse, a dit Patrick, craignant de me voir enrager sur place.

– Bien sûr, a répondu Sadie en regardant l'entrée du cimetière, ça me paraît bien, j'ai la voiture de ma mère, je te rejoins dans quinze minutes.

– Ah, ah, un petit rendez-vous secret, s'est moqué Patrick, j'adore ça !

Je l'ai fusillé du regard. J'avais prévu d'aller directement chez Jacob après le cimetière mais j'avais sûrement mieux à faire. Beaucoup mieux.

Les prendre en flagrant délit de trahison.

– Ma petite, tu es complètement tordue, a répondu Patrick.

Sadie a déposé les fleurs en les disposant soigneusement sur la pierre. Comme si ça pouvait réparer quoi que ce soit.

Eh bien, j'avais enfin des nouvelles de Sadie Russo. J'aurais pu plonger mais cette fois, je voulais la faire plonger avec moi.

Chapitre 24

Losing my religion

On a roulé sur la banquette arrière de la voiture de la mère de Sadie pendant dix minutes.

– Tu vas un peu vite, non ? ai-je dit en regardant le compteur de vitesse. Mais on dirait que ça te plaît ces derniers temps de jouer les hors-la-loi, miss Russo !

– Ce n'est pas être hors la loi que de piquer le petit ami de ta meilleure amie, a répliqué Patrick d'une voix qui me condamnait.

– Peut-être pas mais ça devrait l'être.

On est passés devant plusieurs endroits familiers de Half Moon Bay.

– La ville n'a pas vraiment changé depuis vingt-sept ans, a dit Patrick.

J'en suis restée bouche bée.

– Quoi ? Tu veux dire que tu es d'ici toi aussi ?

– Mais dis donc, p'tite dame, tu ferais un mauvais détective. Réfléchis. Tu crois que j'aurais traîné au Coin juste parce que les pizzas y sont bonnes ?

– Je… je…

Patrick avait raison : j'avais négligé une information capitale.

– Je suis désolée, je suis vraiment nulle.

Il m'a donné un coup de coude.

– Paie-moi un Frosty de chez Wendy et ça ira.

– Un Frosty de chez Wendy mais où tu veux que je te trouve ça ?

J'ai regardé dehors et j'ai vu que Sadie venait juste de s'arrêter sur le parking du restaurant Wendy.

– Miam, miam, a dit Patrick en sentant la bonne odeur de hamburgers et de frites. Ça fait un bail que je n'en ai pas mangé.

– Quel âge avais-tu ? ai-je demandé. Je veux dire quand tu…

– Quand je suis mort ? Dix-sept ans. Enfin, presque dix-huit.

– Donc ça veut dire que je traîne avec un gars de quarante-cinq ans, en fait, ai-je plaisanté. Ma mère va me tuer.

– Oui mais avoue, je ne fais pas mon âge.

Un bruit de portière nous a interrompus. On s'est extraits de la voiture avant que Sadie ne referme sa porte, concentrés sur la suite de l'opération. Trois secondes plus tard, la Saab vert foncé de Jacob allait sûrement débouler.

J'allais le voir. Avec elle.

Je ne savais pas dans quel état ça me mettrait vu que la dernière fois, à peine six mois plus tôt, ça m'avait anéantie. Il fallait que, cette fois, je me tienne.

Colère

Contrôle, contrôle…

Mais la voiture qui arrivait n'était pas vert foncé et ce n'était pas du tout une Saab. C'était une Honda bleu ciel.

La voiture d'Emma ? Que faisait-elle donc ici ?

– Salut, a-t-elle dit à Sadie.

J'ai failli m'étouffer en voyant qu'elle avait les cheveux très courts. Tess aussi est sortie de la voiture. Elle paraissait encore plus grande qu'avant. Elle devait mesurer dans les un mètre soixante-dix. Ses longs cheveux cuivrés étaient relevés en queue-de-cheval. Elle était à tomber. Une vraie danseuse étoile.

Sadie a croisé les bras sur sa poitrine en les regardant.

– Bon, alors ? Vous vouliez me voir ?

Emma et Tess ont échangé un regard gêné.

– Ah ! ah ! a dit Patrick. J'ai l'impression que ça va donner. Si seulement y avait du pop-corn.

Je lui ai fait signe de se taire. Il n'était pas question que je rate une miette de leur conversation.

Emma a jeté un regard en coin à Sadie.

– Je veux juste te dire que… je suis désolée.

– Quoi ? Pourquoi est-ce qu'Emma devrait s'excuser ?

Sadie a ouvert de grands yeux. Elle n'en revenait pas elle-même.

– On n'avait pas le droit de t'accuser comme ça, a continué Emma. C'est juste que...

Elle s'est interrompue, a regardé Tess avant de reprendre :

– On entendait toutes sortes de choses. Il fallait qu'on sache si c'était vrai.

– Tu nous pardonnes ? a ajouté Tess. On est vraiment super désolées.

Je n'y comprenais rien. J'étais stupéfaite par le tour que prenaient les événements. J'avais sûrement manqué un épisode.

Vous n'avez pas à vous excuser !
C'est elle, la mauvaise ! La sale menteuse !

Sadie a regardé ses pieds.

– Pour info, je vous rappelle que Jacob et moi, on est amis, seulement amis. Depuis toujours et bien avant que je ne rencontre Brie. Vous me croyez, j'espère ?

Emma a soupiré.

– Oui, on te croit, mais avoue que...

– Vous me prenez pour une imbécile ? a dit Sadie en séchant ses larmes. Je sais ce qu'on raconte à mon sujet, mais que vous, vous puissiez y croire...

– Non, non et non ! ai-je hurlé, en voulant réveiller Emma et Tess. Elle ment ! Ne croyez pas un mot de ce qu'elle vous raconte !

– … ça m'a terriblement blessée.

Espèce de salope ! Tu n'es qu'une belle salope !

C'était trop pour moi. Je me suis retournée vers la voiture et j'ai tambouriné dans les pneus en hurlant tout ce que je pouvais.

Bordel de m… !

Je me suis retrouvée par terre, sur le bitume, sans pouvoir respirer, le pied en compote à regarder la voiture qui brinquebalait.

Patrick était abasourdi.

– Allez, Eagan, ressaisis-toi !

– Wouah, a dit Tess en s'éloignant de la voiture, les filles, vous n'avez pas senti un truc bizarre ?

– Si, moi, j'ai senti quelque chose, a dit Emma en s'agenouillant près du pneu. Qu'est-ce qui s'est passé ?

Sadie a jeté un œil autour d'elle.

– C'était peut-être un tremblement de terre ?

Je me suis redressée.

Nom de Dieu, de Dieu, de Dieu.

Un énorme sourire s'est affiché sur mon visage.

– Je l'ai fait, j'ai réussi, j'ai touché quelque chose !

– Ça oui ! Recommence ! a ordonné Patrick.

Je me suis concentrée.

Contrôle.

Et cette fois, j'ai donné des coups de pied dans la portière.

– Merde alors ! a crié Emma en reculant.

Mes coups avaient laissé une trace. J'étais en feu. Patrick a voulu me taper dans la main mais j'ai basculé et je suis tombée.

– Bon, a-t-il dit, va falloir que tu t'entraînes encore à toper là !

Mais je riais tout ce que je pouvais. Comme si plus rien ne me résistait, comme si j'étais invincible. En voyant Sadie jouer profil bas et trouver le culot de leur mentir comme ça, je me sentais officiellement prête à tester mes nouvelles capacités. Ma peau était dure comme du cuir, prête à prendre et à donner tous les coups. Parce que toutes les filles devraient respecter le premier de tous les commandements en matière d'amitié :

TU NE VOLERAS PAS LE PETIT AMI DE TA MEILLEURE AMIE.

Je me suis hissée sur le capot de la voiture d'Emma et j'ai repris ma séance de boxe. Seulement cette fois, j'ai fait un grand trou dans le pare-brise. Les filles ont vu le verre se briser comme si le ciel leur était tombé sur la tête. Elles se sont mises à hurler. Emma et Tess se sont carapatées dans la voiture et Sadie a couru vers la sienne.

– On s'appelle ! a crié Emma à Sadie en démarrant en trombe.

– Touché ! m'a lancé Patrick.

Mais je ne l'entendais plus.

– Quel jour sommes-nous ?

Il a regardé le soleil.

– Si je m'en tiens à ce que dit le chapitre treize du *D&J*, « Experts en survie », je dirais qu'on doit être autour du 28 avril.

– Non, quel jour de la semaine ?

– Attends, a-t-il dit en attrapant quelque chose.

– Quoi ? Qu'est-ce que c'est ?

Il a souri d'un air coupable en prenant le téléphone de Sadie.

Le Jackpot !

Il a allumé l'écran.

– Je rectifie, on est le 29 avril et c'est un vendredi.

Vendredi. J'ai mobilisé toute ma mémoire. Jacob avait entraînement d'athlétisme tous les soirs mais le vendredi, c'était le jour des compétitions. Patrick a revérifié que personne ne nous avait vus. Puis il a fourré le téléphone dans sa poche. On l'avait trouvé, il était donc à nous, dixit le *D&J*.

– Passe-le-moi, ai-je dit.

– Minute ! Que comptes-tu en faire ?

– Mais… euh… je ne vois pas ce que tu veux dire.

– Écoute, a-t-il dit très sérieusement, je veux bien continuer ce petit jeu avec toi mais ne t'emballe pas. Y a des règles à respecter.

– Ah oui ? Et lesquelles ?

– Oublier ces imbéciles, par exemple, et avancer. Et puis, on doit rentrer au Coin. Tu vas devoir lâcher l'affaire, trésor. Tu le sais, non ?

Que pouvais-je répondre ? Patrick était gentil et je commençais à m'attacher à lui. Mais jamais il ne pourrait me comprendre. Ce n'était qu'un garçon tout droit sorti des années 80 qui avait eu la malchance de rouler trop vite à moto. Que pouvait-il comprendre à l'amour, aux chagrins d'amour et à ce qu'on ressent quand on vous brise le cœur ?

Absolument rien.

J'ai décidé que je ne rentrerais pas au Coin. Ni maintenant ni jamais. Et j'ai tout fait pour enfouir cette pensée, histoire que Patrick n'aille pas la dénicher dans ma tête. Il devait penser que je disais la stricte vérité.

– Ouais, je sais qu'on doit rentrer.

Sadie n'était pas la seule à savoir mentir. Parce que Patrick n'y a vu que du feu. Il a souri.

– Très bien.

Colère

Je me sentais coupable mais pas assez pour me raviser. Parce que contre vents et marées, personne ne me ferait rentrer. Ni Patrick. Ni Madame Mots Croisés. Ni le Diable en personne. Personne.

Chapitre 25

Permanently black and blue,
permanently blue, for you

J'ai décidé d'attendre Jacob à sept blocs du campus, à l'endroit précis où il passait chaque jour, sur le même vélo, à la même heure, soit 14 h 42. Je savais qu'il était en chemin pour Belcher Field, le stade où l'équipe du lycée faisait ses compétitions d'athlétisme. Mais attention, n'allez pas me prendre pour une obsessionnelle.

Au contraire.

Pour info, sachez que ce n'est pas être obsessionnelle que de mémoriser l'emploi du temps d'un garçon quand on a envie de tomber sur lui. C'est être efficace. Pourquoi perdre son temps et son énergie à courir la ville quand vous pouvez exactement savoir où il se trouve ? Et y être en même temps que lui. Quand on veut quelque chose, on s'organise.

Enfin, une organisation de limier,
je vous l'accorde.

Patrick ne plaisantait pas.
– *Fact ut vivas*, en d'autres mots, vis ta vie.

Je l'ai laissé parler en me concentrant pour la soixante-dixième fois sur le trajet de Jacob, histoire de ne pas le manquer.

– Tu sais, ne va pas imaginer que je me plantais devant chez lui tous les jours, j'avais autre chose à faire.

– Tu parles.

Je lui ai donné un coup dans le bras. Patrick a commencé à s'impatienter.

– Il ne va pas venir, a-t-il dit. On est complètement barges. Enfin, non, tu es complètement barge.

– Écoute, ai-je dit en le regardant droit dans les yeux, tu peux partir si tu veux. D'ailleurs, je te le demande parce que tu m'empêches de me concentrer et je veux être fin prête.

– Tu comptes te débarrasser de moi ? Eh bien, désolé de te décevoir, mais je n'irai nulle part.

Il m'exaspérait.

– Je m'en fiche, reste, va-t'en, fais ce que tu veux.

Tous mes sens en alerte, j'ai entendu un bruit de roues. Une sueur froide m'a saisie. Il approchait. Je le sentais. La roue avant de son vélo venait juste de tourner dans Mill Street. Je me suis figée. C'était vraiment lui. Il avait les cheveux longs et ses épaules s'étaient élargies.

Il a vieilli.

Cette pensée m'a fait drôle. Tout le monde avait vieilli. Tout le monde sauf moi.

– Prêt ? ai-je lancé à Patrick en me positionnant.

– Tu es folle à lier, a-t-il répondu, mécontent.

– C'est drôle mais ton avis m'importe peu.

On était l'un en face de l'autre, séparés d'environ deux mètres. Patrick près du pilier téléphonique et moi, adossée à la fenêtre du Garden Deli Café, l'endroit où venaient déjeuner les plus grands du lycée. Mon idée, c'était de flanquer à Jacob une trouille bleue juste avant sa compétition d'athlétisme. Il était très superstitieux, surtout avant une compétition, alors je voulais en profiter pour l'humilier devant toute l'école.

Oui, l'humilier.

– Les dés sont lancés, ai-je murmuré.

Il arrivait. Il était si près que je voyais le blanc de ses yeux à présent.

– On y est, on y est, allez, on y va !

Avec Patrick, on s'est mis au beau milieu de la route. J'ai fermé les yeux juste au moment où Jacob m'a roulé dessus, ou plutôt à travers. J'ai entendu le battement de son cœur. Son pouls résonnait dans mes veines. Je sentais même l'odeur de la saleté sous ses ongles. Puis j'ai ouvert les yeux. C'était incroyable. C'était comme si je voyais son corps de l'intérieur, son sang, ses cellules, ses artères, le tout palpitant et respirant à un rythme régulier, parfait.

J'ai enfoncé mes talons dans le sol. Je ne bougerais pas de là.

Je suis forte. Je suis puissante. Je contrôle.

– Putain de merde ! a hurlé Jacob en lâchant son guidon.

J'ai entendu sa chaîne de vélo dérailler et je l'ai vu valdinguer dans les poubelles du café. Son vélo est parti du côté du pilier téléphonique puis vers la rue. Une voiture a déboulé et écrasé la roue arrière.

– Un homme à terre ! ai-je dit en me mettant à danser de joie.

Jacob grognait sous une pile de pains rassis et de tranches de salami avariées.

– Félicitations ! Tu es contente ?

J'ai bondi pour lui faire une bise.

– Pourquoi tu m'embrasses ?

– Parce que tu es un complice de choc !

Jacob se relevait lentement au milieu du tas de détritus. Il avait l'air complètement affolé et, comme je l'avais prévu, totalement terrifié.

– Ça va ? lui a demandé un employé du café. On t'a vu valdinguer, mon gars, pas trop sonné ? Mais y a plus de peur que de mal, on dirait. Normalement, on sort les ordures après la fermeture mais là, c'est pas de chance.

Ce n'est pas peu de le dire !

– Ouais, a répondu Jacob. Je ne sais pas ce qui s'est passé. J'ai eu comme un blanc. Puis il a regardé son vélo et les ordures qui jonchaient le trottoir. Désolé pour le bin's, je vais nettoyer.

– J'espère bien, ai-je répliqué, pour du bin's, ça, c'est du bin's, Fischer. Et tu as intérêt à tout nettoyer.

– Ah ! les femmes… a soupiré Patrick.

– En avant ! ai-je crié en lui attrapant la main et en zoomant jusqu'au stade.

Chapitre 26

You oughta know

Le stade était bondé, ça tombait bien. Des jeunes de tous les environs étaient venus. Toutes les tribus, tous les genres. En regardant le tableau d'affichage, j'ai compris pourquoi : la compétition opposait l'équipe du lycée aux Cyclones de San Mateo. Une rivalité ancestrale, qui remontait aux années 90. Les choses évoluaient enfin en ma faveur. Dieu que la roue avait tourné ! Je gloussais de bonheur. On allait assister à la PGCT (Plus Grande Compet' de tous les Temps).

– Tu veux bien te calmer, on dirait Dracula, a dit Patrick, arrête de pousser des cris de vampire ! Tu commences à me filer la frousse.

Mais j'ai ignoré sa remarque.

– Où est le portable ? ai-je demandé en avançant la main vers sa poche.

– Pas si vite, p'tite dame ! a-t-il fait en brandissant le portable de Sadie au-dessus de ma tête.

Je sautai pour essayer de l'attraper.

– Arrête ton char, donne-le-moi.

– Seulement si tu me promets de ne pas faire de bêtises.

– Promis, promis.

Il me l'a donné et j'ai entré le mot de passe de Sadie.

Juilliard.

Ensuite j'ai écrit un texto à Jacob dans le plus pur style Russo.

« JF ! Je v au stade ! T déjà là-bas ? »

J'ai rigolé toute seule en revoyant Jacob se débattre entre ses tranches de salami pourri. Patrick m'a décoché un regard torve.

– Tu ris toute seule ? On peut savoir pourquoi ?

– Non.

J'ai appuyé sur la touche Envoi.

– J'espère ne jamais t'avoir comme ennemie.

Trois secondes plus tard, Jacob répondait :

« Suis en route. Vélo bousillé. Tu peux me ramener ce soir ? Baisers. »

J'ai lu et relu le message, surtout le dernier mot. Évidemment. Et j'ai ressenti la même excitation qu'autrefois, quand il m'envoyait ses textos transis d'amour.

– Flash infos, trésor, ce message ne t'est pas destiné ! a dit Patrick. C'est à elle qu'il l'envoie !

– Heureusement que tu es là pour me le rappeler.

Puis j'ai vu arriver Jacob sur son vélo cabossé. Il l'a jeté par terre sans même se soucier de l'attacher.

Je l'ai suivi jusqu'au point d'entraînement des coureurs qui se préparaient et je l'ai regardé s'échauffer.

C'était lui le meilleur sprinter de l'équipe du lycée. Les entraîneurs lui faisaient les yeux doux depuis son plus jeune âge, quand il avait battu le record du fameux Mike Remy. L'université de Princeton lui avait garanti une place dans sa prestigieuse équipe. C'était une star. Populaire sans la ramener. Il s'était toujours comporté comme un type bien, sympa, jamais bégueule. Du coup, tout le monde l'aimait. Pas du tout le genre de type à fricoter avec la meilleure amie de sa petite amie et encore moins à trahir ceux qu'il aime. D'où le côté encore plus incroyable de ce qu'il m'a fait. Lui, le type le plus fiable du monde. Et s'il vous plaît sans crier gare, sans warnings, sans le moindre petit signe avant-coureur. Au point que même après tout ce temps, j'ai encore du mal à y croire. Jacob et Sadie. C'était juste impossible. Mais rien n'était plus comme avant, comme si les planètes de l'univers étaient sorties de leur axe. Et je le voyais à la façon dont les autres le regardaient, dont ils bougeaient autour de lui, dont ses coéquipiers plissaient les yeux et baissaient le ton lorsqu'il passait devant eux.

Que se passe-t-il ?

Jacob a étiré son bras droit, puis le gauche.

– Hé, Fischer, tu es en retard ! a crié son entraîneur. Échauffe-toi, tu passes juste après.

– Désolé, a répondu Jacob en courant, tête baissée, vers son équipe.

On le regardait avec méfiance, on ne lui souriait
plus, on ne lui tapait plus sur l'épaule. Un grand
silence gêné l'entourait désormais. J'en avais des
frissons de plaisir.

– Ils savent, ai-je murmuré, ils savent ce qu'il m'a
fait.

– Quoi ? Qu'est-ce que tu as dit ? Je croyais
qu'on en avait terminé ?

– Rêve toujours, Patricia.

Les sprinters ont rejoint les starting-blocks. Jacob
était dans le couloir intérieur.

Parfait.

– À vos marques ! a crié l'entraîneur en hissant le
revolver qui donnerait le départ.

Les garçons se sont agenouillés.

– Prêts ?

Ils ont ajusté leur position.

– Partez ! ne rien perdre pour attendre

Au top départ, j'ai vu leurs muscles s'étirer et j'ai
senti leur cœur accélérer.

C'était une courte distance, un cent mètres. Jacob
était en tête. Je voyais ses yeux se fixer sur la ligne

d'arrivée, sous les encouragements de la foule qui ne perdait rien pour voir ce dont j'étais capable. Lycéens, étudiants, parents, à vos marques !

Dans un coin des gradins tout en haut se tenait une jolie petite brune que, malgré la distance, j'ai reconnue illico. Sadie. J'ai encore souri en regardant Jacob me suivre sur la piste.

– Russo, tu vas t'en mordre les doigts !

Jacob se rapprochait de plus en plus de moi. Je voyais même mon reflet dans ses beaux yeux bleus. Un instant, je me suis souvenue du battement de son cœur et j'ai eu honte mais j'ai pensé au mien, à son silence. Je me suis baissée, j'ai tendu la jambe en visant ma cible comme jamais.

3, 2, 1, touché.

Le monde s'est comme arrêté. La stupeur a figé la foule voyant le champion atterrir face contre terre. Tandis que moi, je goûtais déjà ma victoire sur mon ex dont la place dans l'équipe de Princeton était en train de partir en fumée.

Chapitre 27

Cry me a river

Patrick ne me parlait pas. Sans doute pour me punir d'être allée « trop loin ».

– Sans te vexer, permets-moi de te dire qu'une entorse, ce n'est pas cher payé pour un cœur brisé, ai-je dit.

– Une entorse ?

– D'accord, une fracture, si tu préfères.

La foule était encore sous le choc quand l'ambulance a emmené Jacob à l'hôpital où une radio et un plâtre l'attendaient. À part les ambulanciers, Patrick et moi, une autre personne a grimpé à l'arrière du véhicule. Sadie. Ces deux-là alors, ils étaient prêts à tous les clichés !

– C'est bizarre, a dit Patrick.

Je n'ai pas répondu, trop occupée à scruter le visage de Sadie en espérant qu'elle se consume sur place.

– Que s'est-il passé, Jake ? a-t-elle dit en posant sa main sur celle de Jacob. Sur quoi as-tu trébuché ?

– Hé ! Doucement ! a crié le blessé à l'ambulancier qui le bandait. Je ne sais pas. Sur rien ! Je n'ai trébuché sur rien !

Elle était penaude.

– Mais c'est impossible ! Tout le monde a vu que tu avais trébuché sur quelque chose.

– Alors pourquoi tu me poses la question ? Si tout le monde a vu, alors dis-moi ce que c'était !

Il a reposé sa tête sur le brancard, la voix brisée.

– Nom de Dieu, ça va tout changer, ça va... tout foutre par terre.

– Pas sûr, l'a rassuré Sadie. Attendons de voir ce que va dire le docteur.

– Elle est cassée, ma jambe, a dit Jacob amèrement. C'était ma seule chance, mon seul passeport pour partir d'ici et j'ai tout foiré. C'est comme si j'étais poursuivi par le mauvais sort, aujourd'hui. D'abord mon vélo, et maintenant ça.

Sadie s'est penchée pour soulever une mèche de cheveux sur le front de Jacob.

Une scène à gerber.

– Pourquoi ? Qu'est-ce qu'il a eu ton vélo ?

– Comment ça ? Mais j'ai répondu à ton texto juste avant la course !

Sadie n'y comprenait rien.

– Jacob, de quoi tu parles ? Je ne t'ai jamais envoyé de texto.

Jacob a attrapé son sac tant bien que mal et en a sorti son portable. Il a déroulé ses sms et lui a mis l'écran sous les yeux. Zut, je ne l'avais pas prévu…

– Ce n'est pas moi qui t'ai écrit ça ! En plus, j'ai perdu mon portable aujourd'hui, chez Wendy. Y a eu un truc bizarre avec la voiture d'Emma et j'ai dû le lâcher sans m'en rendre compte. Quelqu'un l'a ramassé. Et c'est ce quelqu'un qui t'a écrit.

Patrick m'a lancé un regard mauvais.

Oui, je sais.

– Emma, a dit Jacob, c'est du Emma tout craché.

Sadie a fait non de la tête.

– Emma ne ferait pas un truc pareil. Elles se sont excusées avec Tess aujourd'hui.

– Ah bon ?

– Oui.

– Bon, j'appelle ton portable, a-t-il dit, sceptique. On verra qui répond.

Le téléphone de Sadie s'est mis à vibrer dans la poche de ma robe.

– Tu vas répondre ? a demandé Patrick.

– Je ne crois pas, je préfère laisser la messagerie.

– Bonne idée.

L'ambulance s'est arrêtée et la porte arrière s'est ouverte. Patrick et moi, on a sauté dehors alors que des types en orange fluo ont dit à Jacob de se rasseoir. Ensuite ils ont compté jusqu'à trois, ont sorti le brancard de la voiture et ont transféré le blessé sur un fauteuil roulant.

– Je vais attendre tes parents, a proposé Sadie en lui faisant une bise. À tout de suite. Et arrête de te miner, d'accord ? Tout va s'arranger. Princeton ne va pas te virer comme ça. On va se battre. Je te le promets.

On voyait que Jacob ne la croyait pas mais il lui a quand même accordé un sourire.

– Merci, Sad. Que ferais-je sans toi ?

Au hasard, tu ne serais pas encore avec moi ?

– Ça suffit ! a hurlé Patrick.

– Hé ! Je ne suis pas sourde ! ai-je rétorqué en l'attrapant par la manche et en découvrant sa cicatrice.

Il a retiré son bras.

– C'est vrai, j'oubliais, tu n'aimes pas qu'on touche à tes vêtements.

Mais il n'était pas d'humeur à rire.

– Écoute, je suis vraiment désolée, d'accord ? Je ne voulais pas…

– Tu parles ! Tu n'es pas du tout désolée !

Je me sentais mal. Je ne m'étais jamais comportée comme une peste. Je n'avais jamais tué le moindre cafard. Mais c'était la première fois que je me vengeais et c'était de bonne guerre. J'en avais assez d'être toujours la gentille, la bonne poire. Il fallait que ça change même si ça devait faire quelques victimes collatérales. Et puis, c'étaient tout sauf des victimes.

Ma peau portait des traces de fumée noire. Je n'aimais pas jouer les méchantes mais en réalité, ça ne regardait pas Patrick, toute cette histoire. En le voyant se tenir droit comme la justice divine et avec ses airs de Tom Cruise, il commençait à m'énerver. De quel droit me jugeait-il à la fin ?

– D'accord, imagine que je ne sois pas désolée, hein ? Je ne dois aucune excuse à personne ! Surtout pas à toi ! l'ai-je défié en me dirigeant vers les Urgences.

– Brie, n'y va pas, a-t-il dit en me retenant par le bras.

– Lâche-moi.

– Je n'aurais jamais dû t'encourager à faire tout ça, c'est une erreur et toi, tu t'acharnes. Je sais que tout ça t'amuse vraiment mais tu ne te rends pas du tout service. Tu dois lâcher l'affaire sinon tu n'avanceras jamais.

– Et alors ? Je m'en fiche d'avancer pour retourner au Coin et suivre un de tes nouveaux stages à la noix. Tout ce que je veux, c'est être avec mes amis et ma famille, pas avec toi !

– Tes amis ? Je sais qu'on n'a pas vécu à la même époque toi et moi, mais ça ne change rien au fait qu'on ne traite pas ses amis comme tu le fais.

– Ils n'ont que ce qu'ils méritent ! Et tu le sais !

– Ils paient pour leurs erreurs, Brie. Ils souffrent tous les deux beaucoup depuis que tu es morte. Plus que tu ne penses. Alors maintenant arrête. Fin du jeu.

J'ai reculé, sentant à l'intérieur de moi une colère bouillonner.

– À quoi tu veux en venir ? Pourquoi tu t'inquiètes pour eux brusquement ? Ne me dis pas que tu es tombé amoureux de Sadie toi aussi !

– N'importe quoi. Pourquoi ne pas te laisser porter par les choses ?

– Parce que. Parce que moi, je suis morte et pas eux. Parce que c'est injuste et qu'elle ne le mérite pas, d'accord ? Il était à moi. À moi. Pas à elle.

J'étais au bord des larmes.

– Mais pourquoi te soucier de deux personnes qui ne te méritent pas ? Pourquoi t'acharner ? Il t'a blessée, elle t'a blessée, basta.

Il a relevé ses manches et sa cicatrice m'a fait tressaillir. Il avait dû subir quelque chose de terrible.

Mais quoi ?

– Il a pris ton petit cœur et… a commencé Patrick d'une voix triste… ton petit cœur si mignon, si parfait et… il l'a broyé. Pourquoi est-ce que tu cherches à revivre ça sans arrêt ?

236

Il n'y avait qu'une seule réponse à cette question, simple, basique, plate mais je n'avais rien d'autre à dire.

– Parce que je l'aimais, ai-je dit en pleurant. Et il m'aimait aussi. Je le sais, j'en suis sûre.

Un violent coup de tonnerre a retenti dans le lointain et le vent s'est levé. Je n'ai pas bougé.

– L'amour ? Tu crois que c'est ça l'amour ?

– Si tu avais déjà été amoureux, tu saurais ce que c'est que de perdre son âme sœur. Ses âmes sœurs.

Les yeux de Patrick se sont assombris comme jamais.

– Trésor, a-t-il murmuré, ne parle pas de ce que tu ne sais pas.

C'en était trop décidément. De petites flammes se sont allumées entre mes orteils, remontant jusqu'à ma colonne vertébrale pour finalement embraser mon dos et ma poitrine. Je me consumais.

– Fiche-moi la paix.

Il n'a pas eu besoin d'ouvrir la bouche pour me dire : Comme tu voudras.

Et il a disparu.

Chapitre 28

Don't dream it's over

Il a fallu que j'arrive dans Carillo Drive pour me rendre compte que j'étais en route pour la maison. Ma dispute avec Patrick m'avait angoissée et je n'avais pas fait attention aux noms de rues jusqu'à ce que je tombe sur la BMW de papa, garée dans notre allée. Je soulevais des paquets de graviers sous mes pas.

J'ai raison. J'ai raison et Patrick a tort. Que peut-il comprendre à ce que j'ai subi ?

J'ai sorti le téléphone de Sadie de ma poche. Elle avait poussé le bouchon très loin mais je n'avais pas dit mon dernier mot : j'avais plus d'un tour dans mon sac. J'ai appuyé sur les touches et j'ai ouvert sa page Facebook.

Remballe ça, m'aurait dit Patrick.
N'y pense même pas, trésor.

Mais au diable ses avertissements ! Je suis allée voir le profil de Sadie. Ça faisait un mois qu'elle n'avait plus actualisé son statut, ce qui ne lui arrivait jamais. J'ai cliqué dans ses messages mais il n'y en avait aucun. Difficile à croire pour une fille qui comptait plus de mille amis. Elle devait avoir effacé les preuves.

Que me caches-tu, Sadie ?

Admettons qu'elle ait subi une forte dévaluation sociale ces derniers mois, il devait rester des tonnes de gens du lycée qui ignoraient encore ce qu'elle avait été capable de faire. Tu ne dois pas laisser attendre ton public, miss Russo, me suis-je dit en actualisant son statut :

Les rumeurs sont vraies. SR+JF = AMOUR TJRS PS. BRIE ? QUI S ?

Et voilà ! J'ai souri et j'ai remis le portable dans ma poche. Mission accomplie. J'ai marché jusqu'à notre porche en jetant un œil à la maison des Brenner, à ses tulipes jaunes et à son portail blanc. Toute cette comédie me donnait la nausée. Est-ce que M. Brenner avait découvert le pot aux roses ? Et maman ?

Penser à papa et à Sarah Brenner me retournait l'estomac comme si toute ma vie n'avait été que mensonges. Pourquoi Jack et moi étions-nous nés dans une famille aussi problématique ? Ce serait peut-être différent dans une autre vie.

L'idée de la réincarnation m'a traversée. Je pourrais me réincarner en dauphin ou en koala, mais en vérité, pourquoi repartir pour un tour ? La vie était trop compliquée. Trop douloureuse. Inutile de me coltiner d'autres problèmes, une fois m'avait bien suffi.

Et Jacob ? En quoi pourrait-il se réincarner lui ?

En porc ?

Non, c'est encore trop bien pour lui. En ver de terre. En rat.

Oui, c'est ça, en rat.

Et Sadie ? Pour elle, c'était évident, en serpent. Un horrible serpent. De l'imaginer en train de ramper sur son ventre m'a fait éclater de rire et oublier un instant ce qui me contrariait tant.

Je n'arrivais pas à m'ôter de la tête que Patrick avait peut-être vu juste en disant que j'étais allée trop loin. Vraiment trop loin. Tais-toi, ai-je grogné. Le désespoir entraîne le désespoir et selon moi, ces deux ordures s'en sortaient encore trop bien. Jacob, par exemple, se trouverait certainement une autre équipe universitaire ravie de le compter parmi ses coureurs. Quant à Sadie, elle irait certainement à Juilliard et ensuite à Broadway vu qu'elle était devenue la plus grande menteuse de tous les temps. Car mentir ou jouer la comédie, c'est pareil, non ?

Je me suis arrêtée au bout de mon allée, réalisant soudain que j'avais un autre problème à régler, et de taille. Ou plutôt, une question à résoudre.

Et maintenant ?

Patrick avait raison. J'en avais terminé. J'avais réussi à administrer à Jacob un peu de son propre poison. Mais moi ? Qu'allais-je devenir à présent ? Allais-je continuer à harceler mes amis et ma famille jusqu'à ce qu'ils me rejoignent dans l'autre monde ? Devais-je proposer mes services en tant qu'ange gardien niveau ado pour protéger maman et papa et leur faire la vie douce ? À vrai dire, ce n'était pas la meilleure idée vu qu'en tant qu'ado justement, je ne savais pas grand-chose de la vie.

Je me suis souvenue de cet après-midi où, avec mes copines, on était allées chercher nos colliers. De l'impression que nous avait faite cette boutique sortie de nulle part et pourtant conçue pour nous, pour nous seulement. Le Rabbit Hole. Du nom du passage qu'avait suivi Alice pour arriver au pays des merveilles. Je revoyais le magasin. Le parquet en bois sombre. Le parfum de jasmin de l'encens. Les jolies lanternes en papier qui diffusaient sur les murs jaunes une lumière douce et chaleureuse. Au fur et à mesure que les images me revenaient, je sentais mon pendentif chauffer sur ma peau. Je l'ai légèrement soulevé pour atténuer cette sensation. Et c'est là que j'ai compris.

Le pays des merveilles.

J'ai regardé en direction du ciel qui prenait déjà les couleurs du soir. Puis vers le nord, vers San Francisco. Oui, ce serait mon Rabbit Hole à moi. C'était là que je pouvais disparaître, me terrer le temps de réfléchir à ce que je devais faire du reste de ma vie. Enfin… de ma mort.

Un aboiement et deux pattes blanches m'ont soudain fait refaire surface et atterrir sur la pelouse de devant.

Salami ?

Il s'est rué sur moi pour me lécher le visage.

– Arrête ! Arrête !

Il a reniflé et jappé joyeusement, courant tout autour de moi avec ses oreilles au vent. Puis, fatigué, il s'est posé sur l'herbe, juste à côté de moi, sa queue remuant comme une folle.

– C'est bon, c'est bon, mon chien.

Je lui ai caressé la tête et le cou pour qu'il se détende. Il a posé sa patte sur ma poitrine et a recommencé à me lécher.

– On dirait que tu es content de me voir, dis donc ! Mais qu'est-ce que tu fabriques ici tout seul ? Où est maman ? Et Jack ?

En entendant le prénom de mon frère, il s'est mis à gémir d'une façon poignante. Il a bondi en repartant vers sa niche. Puis s'est retourné, comme pour m'inviter à le suivre.

– Désolée, mon gars, mais tu sais que je ne peux pas entrer là-dedans.

Il a éternué.

– Qu'est-ce que tu as ?

Il a encore bondi et s'est mis à tourner sur lui-même en faisant des bruits dignes d'une hyène. Je me suis approchée de la maison et j'ai regardé à travers les fenêtres de derrière.

On aurait dit qu'un ouragan avait tout dévasté. Des piles d'assiettes sales étaient entassées dans la cuisine. Il y avait des magazines et des journaux éparpillés un peu partout. On n'y voyait pas grand-chose mais j'ai reconnu les vieilles boîtes du traiteur chinois sur le comptoir.

– Wouah, ai-je dit à Salami. Qu'est-ce qui s'est passé ?

Maman n'aurait jamais laissé la maison dans un état pareil. Jamais. J'ai couru vers le garage. Sa voiture n'était pas là. C'était bientôt l'heure du dîner et maman aurait dû être à la maison. J'ai regardé encore une fois pour être bien sûre.

Aucune trace de Subaru.

J'ai commencé à m'inquiéter. Si maman n'était pas là, alors Jack non plus. J'ai envisagé toutes les possibilités. Peut-être étaient-ils partis chez mes grands-parents à Vancouver ? Ou peut-être à Portland chez mon oncle et ma tante ? Mais ce n'étaient pas les vacances de Pâques que je sache. Et de toute façon, ils n'auraient jamais laissé Salami tout seul. Salami partait toujours avec nous en vacances. Toujours.

Salami s'est écarté de moi sans me quitter des yeux.

– Où est maman ? ai-je redemandé. Où est Jack ?

Une fois de plus, il a gémi au seul nom de mon frère.

– Bon, bon, tais-toi !

Il s'est assis, la tête sur ses pattes. Et ses yeux me disaient exactement ce que je ne voulais pas entendre.

Partis. Ils sont partis.

– Donc elle sait, ai-je murmuré. Maman sait tout.

C'était entièrement de la faute de papa, tout ça. C'était lui qui avait brisé notre famille. Lui qui avait poussé maman et Jack à partir. C'était un monstre d'avoir tout gâché. Et je ne le lui pardonnerais jamais.

Mes yeux se sont arrêtés sur une pierre à quelques mètres. Ni trop grande ni trop petite. Salami a suivi mon regard et a bondi dessus comme sur un bâton ou une balle de tennis mais je l'ai chassée d'un coup de pied.

– Laisse ça, ce n'est pas un jouet !

Il a reculé, sans vraiment comprendre.

Concentration. Contrôle.

J'ai visualisé mes doigts sur la pierre douce et fraîche. Et lentement je me suis baissée en essayant de rester calme. Posée. J'ai envoyé à mon cerveau le plus simple des messages.

Ramasse-la.

Et c'est ce que j'ai fait. Je l'ai roulée dans ma main quelques instants. Ses arêtes étaient douces mais il y avait des aspérités. Comment une chose aussi petite pouvait-elle être aussi lourde ? Puis je me suis retournée, j'ai levé le bras et j'ai lancé la pierre sur notre maison.

Le monde a comme ralenti pendant que la pierre suivait son trajet jusqu'à la grande fenêtre de derrière. J'ai entendu la vitre se briser. Puis la voix de papa en écho.

– Nom de Dieu ! Hé ? Qui est là ?

C'était bien la dernière personne que je souhaitais voir. Je devais garder de lui une image purement mentale, celle d'un monstre. Si je le voyais, ce papa que j'aimais tant, je ne trouverais jamais la force de courir. Et j'ai détalé aussi vite que mes jambes me le permettaient en criant : « Je te hais, je te hais ! »

Ce n'est qu'en sentant du sable dans mes ballerines et du vent dans mes cheveux que je me suis enfin autorisée à m'arrêter, hors d'haleine. Je me suis agenouillée sur la plage et j'ai enfoui mon visage dans mes mains pour pleurer. J'ai fermé les yeux en me recroquevillant parce que je ne m'étais jamais sentie aussi seule au monde.

Maman et Jack sont partis. Papa est un monstre. Notre famille est morte.

Quand j'ai entendu un couinement. Un petit museau humide se collant à ma joue. Et j'ai vu que je n'étais pas seule. Parce que Salami m'avait suivie.

Chapitre 29

In the arms of an angel

– Tu ne peux pas rester ici, gros bêta. Tu dois rentrer chez papa. Tu dois rentrer à la maison.

Pendant que je le grondais, il remuait la tête en pensant à la même chose que moi.

La maison ? Mais quelle maison ?

Certes. Mais comment allions-nous faire ? Si on voyait un chien errer sur l'autoroute tout seul, on allait l'emmener soit dans un chenil, soit dans une famille d'adoption. Comment faire autrement ? Il était si mignon.

– Ils vont sûrement t'appeler Médor…

Il a bâillé comme jamais et s'est roulé sur le ventre.

– On est d'accord.

On est restés un long moment à regarder les vagues s'échouer et les étoiles poindre dans le ciel. J'ai raconté à Salami où j'avais été et ce que j'avais vu. Je lui ai parlé de Patrick, de Madame Mots Croisés et du saut depuis le Golden Bridge – ça, je le lui ai dit deux fois – et de cette pizzeria où je ne voulais plus jamais aller. Il a posé sa tête sur mes genoux et il a soupiré, comme au bon vieux temps.

Je savais ce qu'il ressentait.

Avec Salami à mes côtés, j'aurais simplement pu me prendre pour une fille qui se promenait avec son chien au lieu de me voir comme une âme en détresse flanquée d'un canidé errant. Si seulement le *D&J* avait un chapitre sur les zooms avec chien. Non, en fait, valait mieux pas.

Je l'ai regardé et j'ai embrassé sa truffe.

– C'est tout ce qu'il me manque : qu'on m'interpelle avec un animal volant non identifié !

Il s'est blotti encore un peu plus fort. Le soir tombait dru. J'ai fermé les yeux. C'était si bon de se reposer. Puis, brusquement, j'ai senti des picotements sur ma peau, sur mes bras. Toutes mes alarmes intérieures ont sonné et je me suis relevée. Salami a reniflé, sa queue fouettant le sable.

– Chut...

Autour de nous, je ne voyais rien. J'ai commencé à avoir peur. Que faisais-je ici dans la nuit ?

– Allez, viens, mon gars.

Je l'ai pris dans mes bras. Il n'était pas du genre berger allemand mais dans l'obscurité, ça ne se verrait peut-être pas.

– Grogne, s'il te plaît.

Il s'est gratté l'oreille en reniflant.

Colère

Ce n'est pas comme ça
que tu vas leur faire peur.

Une lumière jaune a clignoté devant moi et j'ai sursauté. J'ai retenu mon souffle et elle a clignoté une deuxième fois. Une autre s'est allumée à quelques centimètres de mon épaule, comme suspendue dans l'air.

– Ah...

D'abord une puis deux puis trois puis toute une série. L'air était tout plein de petites lueurs clignotantes qui dansaient autour de nos têtes.

Des lucioles.

Innombrables, par centaines. Je n'avais jamais rien vu de pareil. Ni dans la vraie vie ni dans mes rêves. C'était hallucinant. Non, c'était... magique.

On a regardé ça médusés, hypnotisés. Les lueurs se sont déplacées sur la plage puis vers le nord, éclairant notre route jusqu'à San Francisco.

– C'est un signe, ai-je dit tout bas, ça ne peut être qu'un signe.

Je sentais leurs ailes battre délicatement dans l'air qui rafraîchissait mon cou, à l'endroit de mon pendentif. Leur lumière intermittente dessinait une sorte de guirlande qui nous guidait le long de la côte.

Salami a bondi en s'ébouriffant, chassant les insectes vers le rivage.

– Attends, mon chien, attends-moi !

Et je l'ai suivi en courant dans l'eau fraîche du Pacifique. On dansait dans leur sillage le long de la plage et pour la première fois depuis des lustres, j'ai éprouvé un sentiment oublié, l'espoir. L'espoir que quelque chose était encore possible.

Alors j'ai pris bon an mal an Salami dans mes bras et je lui ai murmuré de se tenir tranquille. Je me suis concentrée sur l'image du Rabbit Hole, sa grande fenêtre en verre bleu, ses lanternes de papier accrochées au plafond. J'ai visualisé la lumière vacillante des bougies et les phrases écrites à l'encre noire qui s'étalaient sur les murs en bois de cerisier, des phrases extraites des plus belles histoires pour enfants.

Salami a gémi. Je l'ai serré un peu plus fort. Il n'allait plus me quitter désormais.

– Tiens-toi, Salami, accroche-toi.

Et nous nous sommes embarqués dans une montagne russe tourbillonnant au-dessus de l'océan, du sable, du brouillard et des nuées de lucioles. J'ai senti mes pieds décoller du sol et Salami hurler comme un fou tandis que nous zoomions en direction du centre de San Francisco.

Le temps s'est suspendu, comme dans un vieux film muet. Et je n'ai plus pensé qu'à une seule chose : *si seulement Patrick était là.*

Quatrième partie

Négociation

Chapitre 30

California dreaming

La ville était livrée aux ténèbres. Il n'y avait pas âme qui vive. Comme si on y avait passé un énorme aspirateur pour en évacuer le moindre frémissement.

Nous n'avons pas atterri à l'endroit prévu mais ça n'avait pas d'importance. Les rues étaient désertes. Les bâtiments fermés. J'ai zigzagué dans le lacis des rues, tournant parfois à gauche, parfois à droite. Les arbres tordus répandaient leurs ombres sur les trottoirs. La nuit allait être longue et terrifiante. Plus on marchait, plus le ciel s'obscurcissait et plus les étoiles brillaient.

J'ai fini par sortir l'Iphone de Sadie pour voir l'heure qu'il était mais l'écran était éteint. « Batterie faible. » J'ai jeté le portable dans une poubelle, ce qui a fait hurler Salami. Une seconde, je me serais crue dans un film d'épouvante, genre *L'Armée des morts*, celui où une fille et son chien finissent par faire le dîner d'un zombie.

– Je veux rentrer à la maison, ai-je murmuré en fermant les yeux, je veux rentrer à la maison, jeveuxrentreràlaMAISON.

J'ai même tapé mes ballerines l'une contre l'autre pour appuyer mon vœu mais quand j'ai rouvert les yeux, j'ai bien vu que le truc de Dorothée dans *Le Magicien d'Oz* n'avait pas marché. J'imaginais les yeux moqueurs de Patrick. Bien tenté, trésor. Même les reniflements de Salami semblaient sarcastiques.

– Ah oui ? Tu as une autre idée ?

On a continué à errer dans les rues, en passant devant le restaurant italien où on allait souvent en famille. Je continuais à me bercer d'espoirs crétins comme par exemple de les trouver tous attablés ou encore de croiser la voiture de papa qui nous ramènerait chez nous.

On peut toujours rêver.

Mais personne n'était dupe, ni moi, ni Salami, ni même la pleine lune. Comme nous n'étions pas très loin, j'ai décidé d'aller vers Macondray Lane, une ruelle où j'adorais traîner autrefois, pleine de grands arbres, de fleurs et de lierre, qui donnait sur Alcatraz et d'où on avait une vue somptueuse sur toute la baie. Mais la vraie raison pour laquelle je l'aimais, c'est parce que Jacob m'y avait emmenée lors de notre premier rendez-vous. Juste après notre premier baiser.

Je me souvenais de l'odeur sucrée qui flottait dans l'air et du doux chuintement des feuilles dans les arbres. Une journée merveilleuse et inattendue. Jacob Fischer m'aimait alors pour de vrai.

Je ne distinguais plus le passé du présent et soudain, les ombres ont reflué, les fleurs se sont ouvertes et tandis qu'une sensation de chaleur me gagnait tout entière, j'ai vu la ruelle s'illuminer sous le soleil. Soudain, ils étaient là, tous les deux. Lui et moi. Enfin, mon ancien moi. J'ai écarquillé les yeux en voyant Jacob marcher dans la ruelle, avec son jean délavé et sa polaire que j'aimais tant, ses doigts enlacés aux miens.

– Où va-t-on, a gloussé mon ancien moi dont il avait bandé les yeux, on y est ?

– Tu vas voir, a dit l'ancien Jacob. Attends encore.

Salami m'a regardée en agitant sa queue sur les pavés inégaux. Il a penché la tête et gémi d'incompréhension : comment pouvais-je être dédoublée ainsi ? Et ça m'a sauté aux yeux : le chien voyait les deux moi. Le chien voyait à l'intérieur de mon souvenir.

– Alors ça y est, tu es dans ma tête toi aussi ? Qui es-tu ? Un chien extralucide ?

Il m'a léché la main, ce qui voulait dire oui.

– Ça a intérêt à valoir le déplacement, a dit mon ancien moi en riant.

– T'inquiète, a dit Jacob, je te promets que tu seras rentrée chez toi avant le JT.

Je ne pouvais détacher mes yeux du visage de la fille. Elle était moi. J'étais elle. Enfin, pas tout à fait. Je connaissais ce souvenir comme ma poche. Mais bizarrement, en voyant la scène se rejouer devant moi, c'était comme si j'espionnais la vie de quelqu'un d'autre. Comme si cette journée n'avait pas fait partie de ma vie à moi. Jacob m'avait impressionnée cet après-midi-là. Sa voix pleine d'assurance, son aplomb, sa maîtrise. Mais mon nouveau point de vue me montrait aussi qu'il avait été mal à l'aise. Comme s'il avait eu des doutes sur mon amour à moi.

– Attends ici, a-t-il dit en me lâchant la main.

Il a fouillé dans son sac à dos et en a sorti une couverture bleu marine. Je l'ai regardé la déployer sur la pelouse et y déposer des tas de bons produits de la ferme : cinq sortes de fromages, des framboises, du pain tout frais et du crumble aux pommes.

Tout ce que j'aimais.

Je le voyais retirer le bandeau de mes yeux en retenant son souffle.

– C'est bon, ouvre les yeux maintenant.

Et la vieille Brie en a eu le souffle coupé :

– Quoi ? Tout ça, c'est pour moi ?

Il s'est baissé pour cueillir une petite fleur rouge et j'ai senti mon cœur exploser quand il me l'a donnée. Je me doutais de ce qui viendrait ensuite. La vieille Brie a souri timidement, a pris la fleur et l'a humée. Mais elle a dû y aller un peu fort parce que la fleur s'est coincée dans sa narine. Je me suis caché le visage dans les mains en secouant la tête tellement j'avais honte.

– Dis donc, a dit Jacob en riant, tu n'aurais pas été un aspirateur dans une ancienne vie ?

Mon ancien moi a jeté la fleur vers lui.

– Et toi une tondeuse à gazon ?

Et j'ai vu son regard fondre de tendresse.

– Joyeux anniversaire, Brie.

Ils se sont noyés dans une mer de baisers.

J'ai senti mes yeux s'embuer et j'ai détourné la tête. En un instant, toutes les ombres sont revenues, rampant et sinuant le long des pavés comme des serpents. Le garçon et la fille ont disparu et le soleil s'est englouti dans un fondu au noir.

– Salauds de garçons, ai-je dit, plus triste que jamais.

Salami a gémi.

– Pas toi, ai-je rectifié, toi, tu es le seul garçon que j'aime. Allez, mon gars, partons d'ici.

Partout où nous allions, quelque chose me rappelait le passé. Le lierre grimpant comme chez ma tante à Seattle. Les graffitis et les tags où je reconnaissais les symboles *Love & Peace*, des arcs-en-ciel, des squelettes dansants, comme sur les vieux posters des Grateful Dead que papa entreposait dans le garage. Des marquises aux rayures blanches et noires comme celles du papier peint dans la salle de bains que je partageais avec Jack. On aurait dit que ma mémoire s'était imprimée sur toute la ville de San Francisco qui portait mes couleurs. On a tourné à gauche, puis à droite et on est arrivés.

Mais à ma grande surprise, le Rabbit Hole avait disparu. Ou plutôt, on l'avait mis en pièces. L'endroit était dévasté. La vitrine était brisée. La porte bâillait, à moitié sortie de ses gonds, comme si on l'avait défoncée. Des graffiti noirs, des symboles que je ne connaissais pas, recouvraient la façade avant et le réverbère semblait hors service depuis des siècles. Sans compter que le trottoir était jonché de morceaux de verre.

J'en avais la chair de poule. Je voulais plus que jamais rentrer à Half Moon Bay.

– Je suis vraiment championne pour dénicher les coins les plus glauques de la Terre, ai-je dit.

Heureusement que pour couronner le tout, je n'avais pas glissé sur une peau de banane ou pire, perdu mes vêtements, ce qui, me connaissant, était plus que probable. J'ai rougi en repensant au moment où Patrick avait dû m'aider à fermer ma robe après notre deuxième saut. C'était bien ma chance de m'être montrée entièrement nue à un revenant des années 80. Un revenant super sexy mais un revenant quand même.

– Allez, viens, mon chien. Y a plus rien à voir.

J'ai pris Salami dans mes bras et j'allais zoomé pour qu'on rentre quand une voix a retenti derrière moi.

– Vous partez déjà ?

J'ai vu apparaître une fille d'à peu près mon âge. Elle était petite mais athlétique avec des pommettes saillantes et des yeux gris très maquillés. Une longue tresse brune coulait sur son épaule. Elle avait un teint de porcelaine. À l'exception des marques de brûlures qu'elle avait juste à l'implantation de ses cheveux et qui couraient sur toute la gauche de son visage, elle aurait pu être mannequin.

Je la regardais, figée dans le sol. Pas à cause de sa beauté. Mais parce que je la reconnaissais.

– Salut, Brie, a-t-elle dit en souriant, ses yeux s'allumant comme des braises dans la nuit, c'est moi, Larkin.

Chapitre 31

Enjoy the silence

– Larkin ? Larkin Ramsey ? Qu'est-ce que tu fiches ici ?

– Oh ! là là ! a-t-elle répondu en riant, si tu voyais ta tête ? Impayable !

Je n'en revenais pas. C'était du délire. Mais c'était bien Larkin. Elle n'avait pas changé du tout depuis la Troisième, enfin à part qu'entre-temps, elle était morte. Le monde est petit. L'Au-delà aussi visiblement.

Elle s'est approchée de Salami.

– C'est quoi ce clébard ?

– C'est un basset, ai-je répondu, vexée. Salami ! Tu ne t'en souviens pas ?

Elle m'a lancé un regard vide.

– Salami ? a-t-elle dit en se baissant et en lui serrant la patte. Non, de chez non. C'est une plaisanterie, je n'ai jamais vu de traversée inversée ?

– De quoi ?

– De traversée inversée, a-t-elle répété en le touchant derrière l'oreille, ce qui semblait ravir Salami. Ton pouls bat toujours, chien-chien, donc tu n'as rien à faire par ici, rien à faire du tout !

– Ah ! ai-je dit, je sais, mais en fait, il m'a suivie.

– Le genre chien errant, quoi ! N'est-ce pas, mon gars ?

Il s'est mis à japper joyeusement puis a lâché un pet.

– Hé ! Salami, ça ne va pas, non ! ai-je grondé.

Larkin a bondi en se bouchant le nez.

– Ben dis donc ! Qu'est-ce qu'il a ?

– Désolée, ça veut juste dire qu'il t'aime bien.

– Qu'est-ce que ce serait s'il ne m'aimait pas !

En l'observant à travers le brouillard, je n'en croyais toujours pas mes yeux.

– Mais qu'est-ce que tu fais ici ? J'ai marché toute la nuit. Je croyais que la ville était déserte.

– C'est ce qui me plaît, a-t-elle répondu d'un sourire, mais la vraie question, c'est, qu'est-ce que toi tu fais là ?

J'ai haussé les épaules puis j'ai bredouillé :

– J'avais besoin d'air. De changer de décor.

– Mais non, je veux dire, pourquoi tu es morte ? Qu'est-ce qui t'est arrivé ? Tu n'étais pas championne de natation ou un truc dans le genre ?

– De plongeon.

– Natation, plongeon, de toute façon, ça rend les cheveux verts. Alors ? Qu'est-ce qui a eu raison de l'invincible Aubrie Eagan ?

Invincible, tu parles !

– Je ne sais pas, j'ai… j'ai eu un problème de…

– Attends, attends, ne me dis pas, je vais deviner ! C'est plus drôle. Voyons…

Elle s'est mise à tourner autour de moi, les bras croisés.

– Un crash d'avion ?

– Non.

– Un braquage de banque ?

– Pas du tout.

Elle a jeté un œil à Salami.

– Je sais ! Asphyxie due aux pets de ton chien ?

– Hé ! Un peu de respect, dis donc !

– D'accord. J'essaie juste de comprendre. Un accident de montgolfière ? de voiture ? de garçon ?

Sa dernière suggestion m'a troublée.

– Problème de garçon ! C'est ça, j'ai trouvé, hein ?

– On peut dire ça.

– Je suis géniale ! Tape-là !

Mais je n'ai pas levé ma main.

– Allez, tape-là ! J'ai trouvé en moins de cinq coups, c'est super bien !

– D'accord !

J'ai rapidement effleuré sa paume.

– Quelle mollesse ! Recommence !

J'étais gênée de ma maladresse.

– Allez ! Tu n'as qu'à penser que tu lui donnes une gifle !

J'ai réessayé. Je pensais à son sale visage de menteur. À ses hésitations quand on devait se retrouver, aux mauvais goûters qu'on prenait chez lui et à son haleine qui sentait parfois les chips.

– Allô ? J'attends ! a dit Larkin en tapant du pied.

Je revoyais Sadie dans ses bras sur la plage. Leur double trahison. Et j'ai frappé dans la main de Larkin aussi fort que j'ai pu.

CRACK !

– Hé, mollo ! a crié Larkin en reculant et en se frottant la main.

J'ai souri en espérant que Patrick m'ait vue faire. Elle a dégagé du pied quelques morceaux de verre et s'est assise sur le trottoir.

– Bon, donc c'était dur dur, hein ?

Elle a sorti de sa poche un paquet de cigarettes.

– Oui, super dur.

– Tu en veux une ?

– Non, merci.

– Comme tu voudras, a-t-elle dit en faisant jaillir une flamme d'un seul claquement de pouce.

Wouah ! J'avais dû louper ça dans le D&J.

Je n'arrivais pas à regarder ailleurs. La flamme avait jeté un éclair sur le visage de Larkin révélant ses brûlures. Je me suis souvenue de la cicatrice de Patrick, de la manière dont il avait botté en touche. Accident de moto, avait-il dit. Rien de spécial. Le souvenir de sa voix m'a remué l'estomac et je me suis sentie coupable de l'avoir envoyé sur les roses. Par égoïsme.

On est restées assises en silence jusqu'à ce qu'elle termine sa cigarette. Je ne savais pas quoi lui dire vu que la dernière fois qu'on avait parlé, c'était en Primaire, au milieu des voitures à pédales.

– Je suis tombée amoureuse une fois, a dit Larkin en me faisant un clin d'œil, d'un gars qui ne savait même pas que j'existais. Enfin, vu que je n'ai pas existé longtemps… c'est tant mieux pour lui.

Ça paraissait bizarre qu'une fille aussi canon que Larkin, brûlures ou pas brûlures, ait pu avoir le cœur brisé à cause d'un garçon. Elle avait certes été toujours du genre solitaire mais de là à penser qu'en amour, elle avait pu ramer…

Qui sait après tout ? On est peut-être tous égaux
devant le chagrin d'amour.

– C'était qui ? ai-je demandé.
– Tu ne vas pas te moquer ?
– Promis.
Elle a souri d'un air niais.

267

– Dr O'Neil.

– Le prof de chimie ?

– Oui, je sais, mais avoue, il est sexy !

Je n'allais pas polémiquer avec elle d'autant que plein d'autres filles pensaient la même chose, Sadie la première. On n'a plus arrêté de parler. Je lui ai tout raconté au sujet du Coin et de Patrick, de comment j'avais combattu ma peur de la moto, de la liaison entre papa et Mme Brenner. J'en ai même rajouté sur mon stupide cœur brisé et sur le crétin qui l'avait brisé. Ses cheveux de crétin, son sourire de crétin, son skate de crétin et son équipe de crétin ! Sans compter son goût de crétin pour *Le Seigneur des anneaux*.

– Chépa, a-t-elle dit, mais ce Jacob m'a tout l'air d'être un sacré blaireau. Au moins, tu en es débarrassée.

Ça m'avait fait du bien de vider mon sac. Vraiment du bien. J'ai respiré lentement et j'ai senti l'odeur de la plage et de l'aube envahir mes poumons.

Enfin, le jour qui se lève.

J'ai regardé le ciel mais je n'y voyais aucune trace de bleu ou de violet à l'horizon. Il était noir de chez noir.

– Oublie, a dit Larkin, le soleil ne brille plus depuis des siècles par ici !

Négociation

Elle a bondi sur ses jambes en riant.

– Au moins, on n'aura pas de cancer de la peau.

– Ça c'est sûr ! ai-je répondu en l'imitant mais à ma grande surprise, elle m'a serrée contre elle.

– Je suis tellement contente de te voir, Brie.

Elle a regardé Salami qui ronflait sur le trottoir. Ses yeux brillaient.

– De vous voir tous les deux.

Chapitre 32

Just like a prayer

Quand les gens parlent de la mort, ils se demandent toujours quelle sera leur dernière pensée. Leur dernier souvenir. Une impression, un baiser, une dispute ou une chanson à la radio ? La dernière chose qui résumera toute leur vie à un seul instant lumineux et fugitif comme un éclair. Mais j'ai un scoop pour vous : ce dernier éclair n'existe pas. Absolument pas. En fait, c'est beaucoup plus simple que ça. Étape 1 : vous êtes là. Étape 2 : vous n'êtes plus là. Et tout s'éteint à jamais. Je sais, ça fait peur. Je sais de quoi je parle, j'ai toujours eu peur du noir. Mais plus maintenant. Plus depuis que Larkin m'a appris à me laisser porter. À lâcher prise. À libérer mon esprit et à vivre, façon de parler.

L'année où je suis sortie avec qui vous savez, je passais des heures à chanter des chansons d'amour ultra-guimauve, en me noyant sous des flots de paroles mièvres que j'aurais crues écrites spécialement pour nous. Mais Larkin m'a appris à changer de playlist.

J'avais perdu un temps fou au Coin. Tout là-bas me ramenait au passé, des scènes que je me

repassais sans arrêt, les endroits que ça me rappelait, jusqu'aux vœux que je me formulais tout bas.
Mais ici, c'était différent. Dans cette partie du paradis, la seule chose qui comptait, c'était le présent, ici
et maintenant. Et comme il n'y avait plus ni soleil
levant ni soleil couchant, il n'y avait plus ni hier ni
lendemain. Le monde des vivants était perdu de vue.
Je n'avais plus ni passé ni filet de sécurité. J'étais
enfin libre.

La ville était notre aire de jeux. J'ai commencé
à m'y sentir à l'aise. Avec Larkin, on a décidé que
Salami serait notre guide culinaire officiel. Un
aboiement signifiait éligible, deux, inéligible. Je dois
avouer que le Coin avait fait de moi une fille pourrie gâtée parce que je n'avais qu'à lever le petit doigt
pour avoir une pizza mais Larkin m'a appris qu'avec
un peu de patience et beaucoup d'appétit, on trouvait toujours quelque chose à se mettre sous la dent.
On ne se débrouillait pas trop mal tous les trois.
Ce qui me plaisait par-dessus tout, c'était l'énergie et l'éternel clair de lune qui baignait notre petit
monde. J'avais enfin une maison. Sauf que j'aurais
bien aimé la partager avec Patrick.

Patrick ? Où es-tu ?

Pas de réponse. Pas de connexion. Alors j'ai cessé
d'appeler.

On dormait dans les parcs et dans les télécabines à l'abandon, sur les toits, dans le Palais des Arts, en nous y sentant comme chez nous. On zoomait d'une rue à l'autre à des vitesses folles. On brisait les fenêtres du Castro et on jetait nos canettes sans scrupules dans Dolores Park.

Larkin s'est révélée une confidente inégalable. Elle voulait toujours que je lui parle de mon histoire et de la façon dont j'envisageais l'avenir. Elle ne m'interrompait jamais et ne pensait jamais à autre chose pendant que je parlais. Il lui arrivait de rire ou de pleurer, de me laisser poser ma tête sur ses genoux, comme la grande sœur que je n'avais jamais eue, et de me caresser les cheveux jusqu'à ce que je trouve le sommeil.

Ensuite, ça a été à son tour de parler d'elle. Elle s'est mise à me raconter sa vie, surtout les années où on s'était perdues de vue. Elle m'a dit qu'elle n'avait jamais vraiment eu d'amis au lycée et qu'elle s'était mise à la photo pour disparaître derrière l'objectif. C'était sa manière à elle de tourner le dos à tous les salauds qui l'avaient jugée parce qu'elle était différente. Elle m'a raconté comment, après l'incendie, elle s'était retrouvée défigurée, honteuse de sa laideur, à chercher désespérément un endroit où se cacher. Comment après des mois d'errance, la ville lui avait lancé un appel qu'elle avait entendu.

Dans la ville au moins, on pouvait se perdre, être un monstre sans s'inquiéter, sans compter qu'y être à deux, c'était encore mieux.

Quand on s'ennuyait, on décollait depuis le haut du plus grand gratte-ciel, le Transamerica Pyramid, et on faisait la course jusqu'en bas. Ensuite on courait jusqu'au vieil observatoire pour contempler San Francisco.

– Tu sais quoi ? a dit Larkin une nuit au sommet de la pyramide en défaisant sa longue natte pour laisser ses cheveux au vent, j'ai été seule tellement longtemps que j'avais oublié comme c'est mieux d'avoir un partenaire de jeu. Je nous adore. On fait vraiment la paire.

Qu'en était-il de la bande des quatre, Brie, Emma, Sadie, Tess ?

J'ai touché mon pendentif, le cœur devenant chaud entre mes doigts. Ma bande. Je ne l'ai pas dit à Larkin mais j'aurais donné n'importe quoi pour les retrouver.

– Je nous aime aussi, ai-je répondu en chassant mes copines de mon esprit.

– Au fait, il est joli ton collier, je voulais te le dire depuis longtemps.

– Merci.

J'ai aperçu sur son épaule gauche un tout petit tatouage. Un petit cercle avec un X au milieu.

Mais ça ne ressemblait pas à un tatouage normal. On aurait plutôt dit qu'on le lui avait gravé à l'aide d'une lame. Ce symbole me rappelait quelque chose.

– Où tu t'es fait faire ça ? ai-je demandé.

Elle a regardé son épaule et l'a aussitôt recouverte de ses cheveux.

– Oh, ça, une bêtise pendant les vacances de Pâques, en Seconde. On était à Cancun avec toute une bande et on a fait le mur un soir quand nos parents dormaient. Justin Chance, un des types, s'en est fait faire un et il m'a défiée d'en faire autant. Tu sais que j'aime les défis. Un truc de gamins.

J'ai regardé vers le lointain. Une ombre sur la baie a retenu mon attention.

– C'est quoi ?

Mes yeux ont accroché une petite île toute seule dans son coin, après Alcatraz, vers Sausalito (une petite ville de bord de mer où on trouve le meilleur restaurant de fromage grillé). L'endroit avait l'air sauvage. Des forêts et des plages s'y étalaient à perte de vue.

– C'est Angel Island, a dit Larkin, tu connais ?

– Pas du tout, ai-je répondu en essayant de me rappeler.

– En fait, ce n'est pas spécialement joli mais c'est là où tu vas quand il ne te reste plus rien. Là où les morts vont mourir.

Un frisson m'a parcourue.

Où les morts vont mourir ?

Il m'a semblé entendre de l'intérieur une voix douce et un peu étouffée me souffler : *Attention, trésor.* Ou bien ai-je rêvé ? J'ai tressailli à l'idée que quelqu'un d'autre parle en moi. *Fais très attention.*

Larkin m'a pris la main et la voix s'est volatilisée.

– Tu promets de rester avec moi, Brie, c'est tellement mieux depuis que tu es là.

Elle s'est levée en ouvrant les bras vers le panorama.

– Qu'y a-t-il de plus beau que ça ?

Elle avait raison. J'étais moi aussi plus heureuse depuis que j'étais là, que je l'avais retrouvée et que je me sentais comme à la maison.

– Rien, ai-je répondu sincèrement. Il n'y a rien de plus beau.

Elle m'a aidée à me relever.

– On fait la course jusqu'en bas ?

– Tu es bien sûre de vouloir rivaliser avec la reine du plongeon ? ai-je dit en souriant.

– Chiche !

On a compté jusqu'à trois et on s'est jetées du haut de l'immeuble en riant comme des folles, grisées par les cris du vent.

Quelques jours plus tard, combien ? je ne sais pas, on était en train de traîner dans un de nos coins favoris, le Tenderloin : l'aire de jeux du parc Sergeant John Macaulay.

– C'est de loin le plus bel endroit de San Francisco, tu ne trouves pas ? a dit Larkin en faisant le cochon pendu sur les barres tandis que je m'amusais à toutes sortes d'acrobaties moi aussi.

Mais soudain, j'ai cru entendre Salami qui creusait un trou dans le sable. Ça faisait des heures qu'on jouait au jeu préféré de Larkin, chiche ou pas chiche. Elle m'avait demandé de rouler dans Lombard Street à l'intérieur d'une cannette et moi, je l'avais défiée de réveiller une otarie qui l'avait presque frappée avec sa nageoire. C'était encore mon tour.

– Chiche ou pas chiche ? a lancé Larkin. Tu as intérêt à être chiche !

J'ai secoué la tête et je suis partie vers les balançoires.

– Oh, non ! Je suis trop secouée par ce tour en cannette. Pas chiche.

– Quoi, tu es sérieuse ? Nom de Dieu, tu n'es pas drôle !

– Ça dépend de ce que tu me demandes.

Larkin a hésité. À quelle sauce allait-elle me manger ? Elle avait une telle imagination. Ça vaudrait certainement le détour.

– Alors ? Vas-y, Ramsey, joue ton va-tout !

Elle s'est dégagée des barres d'un bond et s'est avancée jusqu'aux balançoires. Elle s'est mise dans la balançoire vide à côté de la mienne.

– Si tu pouvais retourner à ta vie d'avant... juste pour un jour... tu le ferais ? a-t-elle dit en me fixant de ses yeux gris.

Euh...

De prime abord, la réponse me semblait évidente mais quand j'ai ouvert la bouche, je n'ai rien pu dire. Et je me suis mise à pleurer. Elle m'a regardée en silence. Je me suis essuyé le nez d'un revers de main, humiliée par ma réaction de bébé.

– Je crois que oui... pas toi ?

– En fait, moi, je l'ai déjà fait.

Une décharge électrique m'a propulsée hors de la balançoire.

– Comment ça ? De quoi tu parles ?

À la lumière du clair de lune, ses brûlures paraissaient soudain vivantes, animées, tels des serpents en feu. J'ai reculé.

Mais c'est Larkin. Je n'ai pas peur de Larkin.

– Écoute, Brie, a-t-elle commencé d'une voix calme sans cesser de me fixer, j'ai entendu toutes tes histoires et c'est clair que tu n'as pas encore tourné la page. Alors je me demande si je ne pourrais pas t'aider à le faire en t'accordant un jour pour dire au revoir... en chair et en os et en couleurs ?

Ma tête était comme traversée par toutes sortes d'émotions différentes. De la colère. De la confusion. De l'excitation. De la peur.

– Je ne comprends pas, ai-je répondu, c'est impossible, ça.

– Et si ça ne l'était pas ?

– Mais ça l'est.

– Rien n'est jamais impossible.

C'était aussi la devise de Patrick.

– Arrête ! Ce n'est pas drôle !

– Qui a dit que c'était drôle ? a-t-elle dit en me prenant la main. Ne t'inquiète pas. On en reparlera plus tard si tu veux, tu n'as pas l'air prête...

– Mais comment ? l'ai-je coupée. Comment tu l'as fait ? Comment tu y es retournée ?

– La question, ce n'est pas comment mais combien, a-t-elle répondu en quittant la balançoire.

– Combien quoi ?

– Ben, tu sais, combien tu serais prête à payer pour ça ?

– Payer ? Mais payer avec quoi ? Je n'ai rien.

Cette histoire commençait à sentir le roussi.

– Et ton collier ? Tu l'échangerais ? Je pourrais t'organiser un retour pour l'anniversaire de Jack, par exemple, ou pour une soirée avec Emma et Tess, ou pour une partie de Puissance 4 ou pour revoir *Le Monde de Nemo*, tu as le choix.

J'ai posé ma main sur ma clavicule.

Mon collier ? Pourquoi en voulait-elle tant
à mon collier ?

– Il m'irait sûrement mieux qu'à toi, a-t-elle dit en gloussant. L'or ne te va pas.

Le ton de sa voix me dérangeait. Trop mielleux, trop sucré, comme un Finger trempé dans une glace à la vanille. Une bouchée de plus et vos papilles explosent.

– Oh ! a dit Larkin, les yeux ronds, comme une créature de conte de fées. Regarde, c'est un lapin ! Ou un faon ?

Bambi ! ai-je pensé. Chez Disney, elle,
elle serait Bambi !

– Ou pourquoi pas la soirée du slow ? Ce serait bien, non ? Tu pourrais jeter Jacob au beau milieu de la piste de danse et lui coller la honte de sa vie !

Elle poussait le bouchon trop loin. Elle n'avait pas à s'approprier mes plus chers souvenirs, comme si elle me connaissait mieux que moi-même. Elle était en train de parler de ma vie, pas de la sienne.

– J'y suis déjà retournée ! ai-je dit soudain.

Ses yeux de Bambi se sont allumés.

– Oui mais pas comme ça.

Je me suis sentie défaillir, au bord de la nausée.

– Arrête, maintenant, je ne veux plus jouer à ça !

– Ce n'est pas un jeu, Brie, on peut passer un contrat tout de suite, a-t-elle dit en souriant. C'est beaucoup plus simple que ce que tu crois. Tu te paies un bon moment chez toi et tu reviens pour toujours. Pour rester avec moi. Qu'en penses-tu ?

– Revivre une journée ? ai-je murmuré. Celle que je veux ?

Tous mes souvenirs ont afflué, les plus quotidiens, les plus ordinaires, comme quand on chantait du Lady Gaga sur le chemin du collège, maman me faisant des pancakes pour mon anniversaire pendant que papa fredonnait du Bob Dylan. Le rire de Jack quand il me poursuivait avec le tuyau d'arrosage les jours d'été, la chaleur électrisante des lèvres de Jacob sur les miennes.

– C'est pour de vrai ? Je peux vraiment y retourner ? Sans conditions ?

– Disons que… a ricané Larkin en désignant mon collier, il y en a une petite. Mais c'est un bon deal, réfléchis.

J'ai cherché le fermoir du collier sur ma nuque mais quand j'ai voulu le détacher, c'était comme de m'attaquer à des bouts de sparadrap indécollables. Et de petites flammes bleues ont jailli dans mes yeux. Un autre souvenir m'a assaillie. J'ai regardé vers la ville mais tout avait disparu.

Chapitre 33

You must be my lucky star

Le verre était transparent comme du cristal. Il
était doux sous mes doigts.

Il m'aime. Il ne m'aime pas. Il m'aime. Il ne
m'aime pas.

– Ne touchez pas à la vitrine, mademoiselle, a dit
la femme à la queue-de-cheval derrière le comptoir.
On vient juste de la nettoyer.

Arrachée à ma rêverie, j'ai dit :

– Désolée.

J'ai entendu rire dans la pièce et les joues encore
rouges de honte, je me suis dirigée vers Emma et
Tess, près du vieux porte-chapeaux. Tess a essayé
une paire de lunettes de soleil.

– Alors ?

– J'adore, a dit Emma. Très Audrey Hepburn. Je
vote pour.

– Hé ! les filles, y a pas mieux que le Rabbit Hole !
a crié Sadie en sortant de la cabine d'essayage où
elle avait enfilé une robe bustier violette. À partir de
maintenant, on va venir tous les week-ends.

Elle a enlevé à Tess ses lunettes de soleil pour les
mettre à son tour.

283

– Hé ! a protesté Tess, pas touche !

– Oh ! a dit Sadie en se regardant dans la glace, elles me vont drôlement bien.

– Quoi ? s'est exclamée Tess, on dirait une mouche, ton visage est bien trop petit. Rends-les-moi !

Sadie a ri en les lui tendant.

– Comme tu veux, mais tu ne seras pas citée dans mon discours aux Oscars !

– Tant pis ! a répondu Tess en remettant les lunettes.

– Les filles, venez voir ! s'est écriée Emma en brandissant une petite boîte à musique en ivoire où étaient peintes à la main des marguerites.

– Super jolie ! a dit Sadie.

– Mais regarde ce qu'il y a dedans !

Et Emma en a sorti une chaîne en argent qu'elle a mise autour de son cou et au bout de laquelle pendait un petit oiseau.

– Trop belle, Emma ! ai-je dit en m'approchant.

– Tu trouves ? Et regardez, ce n'est pas fini !

À l'intérieur se trouvaient d'autres colliers en or et en argent, scintillant et ne demandant qu'à être portés.

– Les filles, est-ce que vous aimez ? a demandé Tess en attrapant un pendentif en cuivre en forme de sirène qui se confondait avec ses cheveux roux. Je le veux ! Tu m'aides, Brie ?

Le collier était parfait sur elle, ni trop long ni trop court.

– Génial ! a conclu Tess, plus Ariel que jamais.

– À moi, a dit Sadie en regardant dans la boîte d'un air déçu. Zut, y en a aucun qui me plaît.

– Et celui-là ? ai-je dit en lui montrant une chaîne en or avec une petite étoile.

– Brie, il est splendide ! a crié Sadie en m'enlaçant. Je l'adore ! Et que dis-tu de celui-ci pour toi ?

Et elle a brandi un collier qui semblait m'attendre depuis toujours, avec un cœur au bout. Sadie s'est mise derrière moi et a soulevé mes cheveux. J'ai entendu le clic du fermoir. Elle a posé un baiser sur ma joue.

– J'adore !

– Je sais ! a lancé Tess. On va les mettre et on les gardera toute notre vie, en hommage à notre amitié, quoi qu'il arrive.

– C'est bon, a soupiré Sadie d'un air théâtral, tu seras citée dans mon discours aux Oscars.

On s'est regardées toutes les quatre en éclatant de rire.

– Toute notre vie, ai-je répété.

– Oui, quoi qu'il arrive, a repris Sadie en me lançant un regard plein d'amour.

Ô, Sadie, ce que tu peux me manquer.

Et puis j'ai de nouveau senti l'or froid sur ma peau, l'air pollué de la ville se dissiper et le parc Macaulay réapparaître devant mes yeux. Larkin était là, la main tendue.

– Allô la Terre ?

Un nœud s'est formé dans mon ventre.

Non, je ne peux pas le lui donner.

– Tiens, a-t-elle dit en sortant de son jean un canif tout rouillé.

Elle s'est approchée.

– Je vais t'aider à l'enlever.

Salami a dû lire dans mes pensées parce qu'il a commencé à grogner.

– Pourquoi as-tu besoin d'un canif ?

– N'aie pas peur, je ne vais pas te faire mal, tu auras ce que tu veux et moi aussi. Et ensuite, on deviendra les meilleures amies du monde.

– Écoute, ai-je bredouillé, je ne suis pas prête à ça…

Mais aussitôt, tous mes membres se sont mis à s'agiter malgré moi et je me suis retrouvée à genoux devant elle.

Quoi ? !

J'ai ouvert des yeux terrorisés en la voyant aiguiser la lame du canif tout en s'approchant encore.

Négociation

Une minute ! De quelle sorte de marché s'agit-il ?

Ce n'était qu'une fille. Une fille faite de fumée, de poussière et de souvenirs éteints. Que pouvait-elle me vouloir ?

– *Ton salut*, m'a soufflé Patrick, *elle veut ton salut éternel.*

– Mon quoi ?

– Je coupe cette chaîne et tu rentres chez toi, a dit Larkin en approchant la lame de mon cou. Dis-toi que c'est comme prendre une photo, alors dis ouistiti.

J'ai senti mon pouls fantôme battre comme un fou. Me disait-elle la vérité ?

– Chez moi ? C'est vraiment vrai ?

– Vrai de chez vrai, a-t-elle répondu.

J'ai remis ma main sur le fermoir, prête à l'ouvrir, mais le petit cœur en or s'est mis à me brûler terriblement, comme s'il creusait un trou dans ma chair et, quand j'ai regardé Larkin dans les yeux, j'y ai vu quelque chose d'encore plus terrifiant. Ses yeux étaient froids, creux, morts.

Cours, Brie, va-t'en !

Imaginaire ou pas, je devais écouter cette voix. J'ai sifflé Salami, je me suis relevée et j'ai couru.

Chapitre 34

To die by your side,
is such a heavenly way to die

Arrivés dans le jardin de Jacob, on s'est précipités dans les buissons.

– Euh ! ai-je dit la bouche remplie de feuilles et de brindilles. Je crois que j'ai les fesses tout éraflées.

Celles de Salami me regardaient droit dans les yeux.

– Espèce de gros dégoûtant, va-t'en !

Salami a bondi.

– Je n'ai plus l'âge, ai-je grogné.

Mon dos a craqué quand je me suis relevée et j'ai marché sur la pointe des pieds en direction de la véranda des Fischer. J'ai regardé à travers les stores. J'ai vu le crâne chauve de M. Fischer qui regardait avec sa femme une émission genre *La Nouvelle Star*.

– Oh ! il est nul, celui-là, a dit Mme Fischer.

– Pas pire que celui d'avant, a ajouté M. Fischer en feuilletant son journal. Tu as rappelé le collège cet après-midi ?

Mme Fischer s'est redressée d'un air mal à l'aise.

– Oui.

– Et alors ?

– Ils ne peuvent rien promettre. L'entraîneur est désolé mais puisque Jacob doit rester sur la touche, ils ne peuvent rien faire. Ils disent qu'ils verront cet été, quand il sera rétabli.

Elle a pris une longue gorgée de thé.

– Mon fils ira à Princeton ! a lancé M. Fischer en tapant du poing sur la table.

Je ne l'avais jamais aimé. Il avait mauvais caractère et s'était montré toujours très sévère avec Jacob et Maya. Le genre militaire, strict, autoritaire et vieille école. Une fois, il nous avait surpris en train de nous bécoter sur le canapé et s'était mis à hurler comme un fou.

– Ce garçon a travaillé trop dur pour ça et ce n'est pas une petite blessure qui va l'arrêter, Mary !

– Inutile de crier, tu sais comme il est contrarié, tu sais comme il a souffert cette année, d'abord à cause de Brie... et maintenant cette blessure. Si on le pousse trop, il est capable de tout abandonner.

– Il devra me passer sur le corps ! a rétorqué M. Fischer en jetant son journal. Il faudra qu'il travaille encore plus. Abandonner, c'est hors de question !

Et il est sorti de la pièce comme une tornade.

Dans quoi avais-je donc mis Jacob ? J'avais voulu lui secouer les puces, pas lui gâcher la vie. J'ai compris que j'avais eu tort de le punir ainsi. De même que je n'aurais pas dû subtiliser le portable de Sadie pour espionner leurs échanges. Pourquoi les avoir haïs autant ? Bien sûr que j'avais mes raisons mais je m'étais laissée mener par la colère. Sadie avait été mon amie, ma meilleure amie, autrefois. Et Jacob un petit ami extraordinaire. Mais nous n'avions que seize ans. À quoi m'étais-je attendue ? À ce qu'il soit mon seul amour ? À ce qu'on parte au galop tous les deux vers le soleil couchant ?

La vérité, c'est que notre relation n'avait jamais été parfaite. Au fond, ça n'avait jamais vraiment collé entre nous. Jacob était drôle, mignon, intelligent et sensible mais il avait cette distance. Ses humeurs. Et il était très dur envers lui-même quand les choses ne tournaient pas comme il le voulait. Et parfois, même si c'était difficile à admettre, je n'avais pas tant aimé que ça l'embrasser. On avait échangé des baisers hollywoodiens, c'est certain, mais aussi des baisers qui m'avaient laissé un goût amer. Même si sur le moment, je ne l'avais pas compris. Et puis voir le couple de mes parents se défaire me faisait réfléchir. Comme si Jacob n'avait en fait jamais été le garçon dont je rêvais. Alors pourquoi l'avoir puni ? Si Sadie et Jacob s'étaient trouvés, qui étais-je pour les en empêcher ? Je n'avais hélas ! pas de baguette magique pour tout réparer mais je pouvais au moins essayer. Et puis, la vie était longue mais la mort encore plus et je ne voulais pas finir comme Madame Mots Croisés, à enchaîner les grilles jusqu'à la fin des temps. L'heure était venue de faire la paix avec Jacob Fischer.

J'ai traversé le jardin, fait le tour de la piscine pour me ranger près du grand séquoia. J'ai essayé de zoomer mais le trajet depuis la ville m'avait épuisée et je manquais d'énergie. Il ne me restait qu'une seule possibilité : grimper.

Salami m'a regardée de travers quand j'ai attrapé la branche la plus haute et commencé à me hisser.

– Je reviens tout de suite, lui ai-je dit, ne bouge pas.

Il a gémi en se décrochant la mâchoire.

– Et surtout n'aboie pas, Salami Eagan, sinon les parents de Jacob vont te renvoyer direct à la maison.

J'ai attrapé une autre branche en sollicitant le singe tapi en moi mais je n'ai trouvé qu'un piteux chihuahua. La mort ne faisait pas de moi une Jane.

– Ce que je suis nulle, ai-je marmonné.

Le ruban de ma robe, un peu abîmé par tous mes sauts et mes atterrissages, s'est pris dans une des branches et, en le dégageant, j'ai regardé en bas. Salami était devenu tout minuscule.

– Quelle idée d'avoir des arbres aussi hauts ! Faut qu'ils arrêtent l'engrais !

Mais je ne pouvais plus faire marche arrière. J'ai continué à grimper jusqu'à ce que j'atteigne le niveau du troisième étage. J'ai fait une pause pour reprendre mon souffle et dégager mes cheveux en arrière. Puis j'ai compté jusqu'à trois, mis mes bras à l'horizontale comme un funambule et j'ai avancé sur la branche, un pas après l'autre, en direction de la chambre qui était allumée et qui se trouvait à quatre mètres de moi.

Ne tombe pas, ne tombe pas.

Et quand je suis arrivée au bout de la branche, il ne me restait plus qu'une dernière chose à faire.

Sauter.

J'ai inspiré un bon coup et je me suis jetée dans le vide. J'ai atterri dans un grand boum, la tête dans le lierre. J'ai entendu Salami qui grognait quelque part en bas.

– Tais-toi, ai-je dit. Ne m'oblige pas à redescendre.

J'ai enroulé mes doigts autour de la treille en imaginant la tête de Patrick s'il me voyait comme ça, dans cette scène de sérénade ridicule. La tristesse m'a envahie. Il me manquait de plus en plus. Je suis allée vers la fenêtre de Jacob. Il était là, à son bureau, devant un tas de livres et de feuilles étalés devant lui. Et en m'en approchant, j'ai vu qu'il pleurait.

Chapitre 35

Who will save your soul
if you won't save your own ?

Heureusement, la fenêtre de Jacob était suf-
fisamment ouverte pour que je me glisse à
l'intérieur sans faire de bruit. En plus, il écou-
tait de la musique. J'ai tout de suite vu que rien
n'avait changé dans sa chambre. Il y avait toujours
sur ses murs blancs des posters de champions
d'athlétisme, la même moquette et le dessus-de-lit
bleu marine, les coupes qu'il avait gagnées et une
grande carte du monde sur laquelle il avait punaisé
les endroits où il voulait aller. Hawaï, l'Australie, la
Grande Muraille de Chine. Tout était pareil à l'exception des béquilles posées près de son lit. Fini le
vélo pour un temps, de toute façon il n'avait plus
de vélo et j'y étais pour quelque chose. Patrick
avait raison. Les femmes sont folles. Jacob s'est
essuyé le visage du revers de la main en toussant.
J'entendais ses parents qui continuaient à se disputer en bas.

Encore une famille modèle.

– Salut, Jacob, ai-je dit doucement. Je suis là.

Je ne voulais pas lui faire peur mais tout en écoutant sa musique, je voyais qu'il pleurait de plus en plus fort. Puis son portable a sonné.

– Salut, ça va ?

Sa voix me faisait toujours le même effet.

– Rien, chépa, a-t-il dit tandis que j'entendais des bribes de ce que disait Sadie à l'autre bout du fil.

« Je m'inquiète pour toi… pas toi… tu dois leur dire. »

– Je n'ai rien à leur dire, a répondu Jacob, il va me jeter, tu ne comprends pas ? Cette histoire le rend malade. Personne ne peut savoir, Sadie. Je ne peux pas…

La voix de Sadie a répliqué en haussant le ton.

« C'est injuste… Qu'ils aillent se faire voir… On se fiche de ce qu'ils pensent, non ? »

– Moi, a dit Jacob, je ne m'en fiche pas, d'accord ? Regarde tous les problèmes que j'ai déjà causés. Je n'aurais jamais dû te le dire alors oublie. Ce n'est pas ton affaire. Tu ne peux pas comprendre.

« Jacob, je… »

– Écoute, je dois te laisser.

Il a raccroché et jeté le portable sur son lit. J'étais complètement perdue. De quel problème parlait-il ? Au lycée, on ne devait plus lui en vouloir de sortir avec Sadie, ça faisait près d'un an, et on devait déjà avoir trouvé d'autres os à ronger. Et puis ce n'était pas la première fois qu'un garçon sortait avec la meilleure amie de son ex, même morte. Il y avait pire dans la vie. Il suffisait d'allumer la radio. Il a mis sa musique plus fort et s'est passé une main dans les cheveux. Je me déplaçais dans la chambre le plus discrètement possible. En me concentrant. J'ai même posé une main sur son épaule, lentement, puis les deux.

Jacob, je suis là pour toi.

Il s'est effondré, le visage enfoui dans ses paumes, secoué de sanglots venus de très loin qui s'accordaient avec la douce mélodie. Son âme se diffusait partout. Sur ma langue, dans mes narines, sur mes mains tandis que ses épaules s'affaissaient encore.

– Chh… ai-je dit dans un murmure, ça va aller. Quoi qu'il arrive, ça va aller.

Je lui ai caressé les cheveux. Jamais je ne l'avais vu dans un tel état. J'ai laissé ma main courir dans son dos, sentant la chaleur de son corps à travers sa chemise. Puis je me suis penchée, en retenant mon souffle, pour embrasser sa joue. Un baiser qui réparerait tout. Un baiser pour me faire pardonner tout le mal que je lui avais fait. Si seulement il avait pu le sentir.

Je suis désolée, Jacob.

Mais quand j'ai eu fini, le monde n'avait pas changé. Il était toujours abattu et moi, j'étais réduite à une ombre à peine perceptible qui dansait sur le mur de sa chambre. Il a attrapé son carnet à spirale et s'est remis à ce qu'il faisait. Je voyais son stylo courir sur la page souillée sans se soucier de mêler ses larmes à l'encre. Et puis j'ai décidé d'aller y voir de plus près. Sur quoi planchait-il avec autant d'application ? Une dissertation ? Un TD de chimie ? Non, c'était une lettre et quand j'ai lu ce qu'il écrivait, j'ai cru que la chambre vrillait tout autour de moi.

« Je ne peux plus continuer comme ça. Je ne peux plus faire semblant d'être ce que je ne suis pas.

J'ai essayé de changer. J'ai essayé d'être quelqu'un d'autre. Mais je suis ce que je suis. Rien que ce que je suis. »

J'ai arrêté de lire.

Mais qui es-tu ?

Je me suis rappelé notre dernière soirée. Le 4 octobre 2010. Cette nuit où ses mots ont pulvérisé mon cœur. La vérité, c'est que je savais qu'il allait rompre avec moi. J'avais vu la peur et la tristesse dans ses yeux quand il était venu me chercher. Je n'avais pas voulu l'admettre.

Ne me fais pas ça, l'avais-je supplié quand nous étions à table. *Ne nous fais pas ça, s'il te plaît.* Mais il avait fini par les dire ces mots : Je ne t'aime pas.

Mais là, dans sa chambre, j'ai réalisé que je n'avais jamais entendu ses explications. Depuis que je l'avais vu sur cette plage avec Sadie, je pensais que c'était clair. Mais je m'étais peut-être trompée sur toute la ligne ? Mon esprit a fait défiler toutes les images. Jacob et Sadie n'avaient fait que s'enlacer sur la plage. Je ne les avais vus qu'échanger des regards, des messes basses et des sms, mais jamais le moindre baiser. Et face aux accusations des autres, ils s'étaient repliés sur eux-mêmes. Je suis tombée à la renverse sur son lit et la vérité m'a sauté aux yeux.

– Tu m'as vraiment aimée, comme moi je t'ai aimé.

Il m'avait fallu tout ce temps pour comprendre mais à présent, j'avais reconstitué le puzzle et ça collait : Jacob n'était pas amoureux de Sadie. C'était sa confidente, pas plus. La dépositaire de son secret le plus cher. Et finalement, Sadie n'avait pas commis d'autre crime que de ne pas le divulguer.

– S'il te plaît, ne fais pas ça, l'ai-je supplié, le visage en larmes. S'il te plaît, écoute-moi.

Mais il ne m'entendait pas. Il ne pouvait pas m'entendre, trop occupé à terminer sa lettre de suicide.

« Plutôt mourir que de vous avouer que je suis gay.
Plutôt mourir. »

Chapitre 36

Always something there
to remind me

J'ai sauté du toit. Je n'ai même pas senti les feuilles me râper la peau ni ma cheville se tordre en atterrissant.

Chez Sadie. Je devais aller chez Sadie.

Je n'avais plus l'énergie pour courir ou zoomer alors j'ai marché dans la rue en boitillant comme une vieille dame.

Et si elle n'était pas là ?
Si elle n'arrivait pas chez lui à temps ?

Ma tête explosait. J'allais vomir. Des éclairs déchiraient le ciel noir. J'ai ralenti le pas. Et c'était comme si je voyais à travers les nuages une fille qui me regardait.

– Que dois-je faire ? ai-je crié. Je dois le sauver ! Au secours !

Un nouvel éclair a fait disparaître le visage de la fille. Je me suis retournée vers la maison de Jacob, obsédée par ses larmes. Je continuais à avancer vers la maison de Sadie, mais c'était encore loin. À plus de quinze minutes et encore, en voiture. La peur m'enveloppait comme une nappe de brouillard. J'étais paralysée. Coincée. Je ne pouvais ni avancer ni faire machine arrière.

– Pourquoi n'êtes-vous pas réelles ? ai-je dit en regardant mes mains. Pourquoi ne me laissez-vous pas réparer tout ça ?

Les feuilles des arbres crissaient au-dessus de la rue. La voix de Larkin résonnait en écho tout autour de moi. Ses mots entraient en moi en m'étranglant.

C'est plus facile que tu ne penses.

J'ai touché mon collier en me souvenant de sa proposition. J'ai enfin compris ce qu'elle voulait. Ce collier, c'était tout ce qu'il me restait de ma vie sur Terre. C'était le symbole de tous les gens que j'avais aimés et de tout ce que nous avions partagé.

C'était mon salut. Est-ce que j'en aurais la force ?

– N'aie pas peur, a soufflé Larkin tandis que son visage réapparaissait dans un éclair.

Et si elle avait raison ? Peut-être devais-je retourner sur Terre une journée pour aider Jacob ? Pour réparer tout ce que j'avais détruit et m'assurer que personne d'autre ne mourrait à cause de moi ? Pour dire à Jacob qu'il n'était pas seul au monde ? Qu'il n'avait pas à souffrir de ce qu'il était et qu'il était digne d'être aimé ?

Négociation

D'être humain tout simplement.

J'ai repris mon souffle. L'amitié devait au moins servir à ça. J'ai soulevé mes longs cheveux et j'ai détaché mon collier. Je l'ai brandi devant moi en regardant le petit cœur en or se balancer au bout de la chaîne. Et quand j'ai levé les yeux, Larkin a surgi à mes côtés.

– Je t'attendais, a-t-elle dit en me touchant le bras. Alors, marché conclu ?

Je savais ce que j'allais lui répondre avant même qu'elle finisse de parler. Quitter le paradis était à ce prix.

– Marché conclu, ai-je dit en lui tendant mon collier.

Chapitre 37

Listen to your heart,
before you tell him good-bye

C'est un marché cruel, le marché des âmes humaines. Dans le *D&J*, ils appellent ça « L'Ultime hérésie ». Le plus grand crime contre l'humanité. Heureusement pour moi, c'était le loisir préféré de Larkin.

– Tu choisis quel jour ? a-t-elle demandé comme elle m'aurait dit : Passe-moi le sel.

– Ça ne te regarde pas.

Je n'étais vraiment pas d'humeur à la conversation.

– Comme tu voudras.

Sa voix était douce mais pas le geste qu'elle a fait pour relever ma manche. Elle s'est agenouillée près de moi, son canif posé sur mon bras.

– Hé ! Qu'est-ce que tu fais ? Je t'ai déjà donné mon collier !

Je me suis écartée mais elle s'est accrochée à moi.

– Du calme, ça ne fera pas mal ! a-t-elle dit. Dis-toi que tu entres dans un club très sélect.

Elle m'a fièrement montré son tatouage.

– Regarde ! On sera pareilles.

– Mais tu m'as dit que tu te l'étais fait faire à Cancun.

– Ah bon ? Je ne m'en souviens pas.

Et elle s'est mise à m'entailler la peau. Elle mentait. Et j'allais avoir *très, très* mal. Mais je m'efforçais de rester positive, de voir le bon côté des choses : passer un jour sur Terre. Ensuite, elle ferait ce qu'elle voudrait de moi. Si ce n'était pas de l'amitié !

– Compte à rebours jusqu'à dix, comme ça, tu sauras quand crier, a-t-elle dit.

– C'est gentil.

– Dix... Neuf... Huit...

Ça en vaut la peine, me disais-je. Je vais sauver une vie. Réparer ce que j'ai cassé en un seul jour, amen. J'en éprouverais une gratitude éternelle. J'ai ouvert les yeux et j'ai vu la lame scintiller dans le clair de lune.

– Cinq... Quatre...

J'ai refermé les yeux pour m'armer contre la douleur mais au moment où j'ai senti la lame sur ma peau, j'ai eu une illumination. Ou plutôt, une apparition.

Son blouson d'aviateur et ses mauvaises blagues. Ma colère quand il m'a poussée du haut du Golden Gate, sa façon agaçante de m'appeler Trésor. Je le revoyais remplir mon verre de Sprite sans que j'aie à le lui demander, m'aider à retrouver le chemin du Coin quand je n'y arrivais pas toute seule. Le ton de sa voix, sa chaleur quand je me serrais contre lui sur sa moto et que j'avais l'impression d'être en sécurité.

– Un, a dit Larkin.

Patrick, je suis désolée.

Soudain, j'ai senti quelque chose foncer à mes côtés et me renverser, face contre terre, le corps recouvert de boue et d'herbes. J'ai roulé au sol jusqu'à ce que je sente Salami qui me léchait le visage pour me nettoyer.

– Hum, ça sent le chien.

Je l'ai repoussé et j'ai soulevé ma manche jusqu'à l'épaule : la lame de Larkin ne m'avait qu'éraflée. J'ai entendu un énorme craquement et j'ai bondi. À une dizaine de mètres, Patrick et Larkin étaient face à face. Il lui avait arraché son canif et le lui avait mis sous la gorge.

– On n'a plus besoin de toi, a-t-il dit, laisse-nous.

– Elle a fait son choix, a-t-elle dit, on a passé un marché alors retourne dans ta pizzeria pourrie et laisse-nous tranquilles.

Larkin m'avait soutiré toutes les informations concernant Patrick. Ou peut-être lui avait-il suffi de reconnaître le blouson en cuir. Il s'est approché d'elle, il était prêt au pire. *Ne fais pas ça*, l'ai-je supplié.

Je dois faire ce qu'elle dit. Pour Jacob.
Je dois y aller pour Jacob.

– Tu vois ? Elle veut y aller, a dit Larkin. Laisse-la faire. Ce n'est pas parce que toi tu n'as pas su te débrouiller qu'elle ne saura pas.

J'ai regardé Patrick.

– De quoi parle-t-elle ?

– Je vois qu'on a gardé son petit secret ! a dit Larkin. Ce n'est pas très poli, tu sais. Pourquoi ne pas le dire à tout le monde ?

– Va te faire voir ! a crié Patrick. Elle ne t'appartient pas. Brie a mieux à faire que de donner du sens à ta pauvre petite moitié de vie.

Les brûlures de Larkin se sont mises à briller dans la nuit.

– Qu'a-t-elle de mieux à faire ? a-t-elle repris, les bras croisés. Écoute-moi, Bon Jovi, je sais tout de toi. De ta moto miteuse et du coup de foudre que tu as eu pour elle mais qu'elle ne partage pas. Alors trouve-toi quelqu'un d'autre à épater parce que ça… ne va pas se passer comme ça !

Et elle a tracé dans l'air la forme d'un cœur.

Wouah…

Les yeux de Patrick ont rencontré les miens. Sa moto miteuse ? C'était cruel. En plus, je n'avais jamais dit ça. Il s'est retourné vers Larkin.

– Écoute-moi, bichette, je ne vais pas la laisser faire ça. Compris ?

– Trop tard, a dit Larkin en me regardant. Allez, Brie, dis-lui.

– C'est drôle, a dit Patrick, parce que tu te trompes.

Et il a sorti de sa poche mon collier.

– Hé ! C'est à moi ! ai-je crié en le lui arrachant des mains.

– C'est vrai, il est à toi, a dit Patrick d'une voix lasse. Ne le lui donne jamais, Brie. Rien ne mérite que tu le lui donnes. Rien.

– Reste en dehors de ça, ai-je supplié. S'il te plaît.

Il a de nouveau posé le couteau sur la gorge de Larkin.

– Chiche ?

Larkin m'implorait du regard mais je ne savais plus de quel côté j'étais.

– D'accord, a dit Larkin en sentant mon hésitation. Crois-moi, mon gars, y a rien de pire que de vouloir quelqu'un qui ne veut plus de toi. Désolée de te dire ça, pizzaiolo, mais elle t'a oublié alors de toute façon, tu es perdant.

– Qu'est-ce que ça veut dire ? Est-ce que quelqu'un va enfin m'expliquer ?

J'étais complètement affolée.

– Patrick, tu es vraiment aussi débile que tu en as l'air.

– Arrête ! Ne lui parle pas sur ce ton !

Elle s'est accrochée à mon épaule. Je sentais sur moi la chaleur des flammes qui avaient défiguré son joli visage.

– Je ne peux pas croire que tu sois de son côté, Brie. Comment peux-tu prendre sa défense alors que nous deux, on se connaît depuis toujours ? Ça ne veut plus rien dire pour toi ?

– Larkin…

– Tu es comme tous les autres.

– Non, ce n'est pas vrai. Écoute…

– Non, c'est toi qui m'écoutes ! Tu ne connais rien à la souffrance et à la solitude. Mais ça va venir. Tu verras ce que ça fait d'être oubliée du monde entier comme si tu n'avais jamais existé. Tu verras ce que ça fait de n'avoir plus personne.

Non, non et non.

Je ne pouvais pas la laisser repartir. J'avais besoin d'elle pour rentrer chez moi, pour sauver Jacob et empêcher d'autres vies de se détruire.

– Tiens, ai-je dit en lui tendant mon collier d'une main désespérée. Prends-le. Je ferai tout ce que tu me diras.

Elle l'a regardé en essuyant une larme.

– Laisse tomber. Vous êtes faits l'un pour l'autre.

Et elle a disparu.

Négociation

Non !

J'ai couru en essayant de rattraper sa silhouette mais je ne touchais que de la fumée.

Comme si elle n'avait jamais existé.

Je suis retombée à genoux. C'était trop tard. Je venais de manquer la seule chance de le sauver.

Et de me sauver.

– Ce n'est pas possible, ai-je dit.

J'ai entendu le couteau tomber sur le trottoir.

– Trésor, a murmuré Patrick en posant sa main sur mon épaule, je suis désolé.

Et soudain, je me suis mise à brûler. Chaque atome de ma peau, de mon sang, de mes larmes et de mes os fumait sous ma robe. J'allais exploser et me pulvériser dans le néant. Peut-être était-ce pour le mieux, ainsi je ne sentirais plus rien. J'en avais tellement assez de sentir et de souffrir. Et je ne pouvais croire que Patrick m'ait enlevé la seule chance de tout rattraper. Mais il l'avait fait, il avait tout gâché.

Je suis désolée, Jacob. Je suis tellement désolée.

J'ai repoussé la main de Patrick et je me suis levée.

– Pourquoi tu fais ça ? Ce n'est pas ton problème, ce n'est pas à toi de décider ce que je dois faire et avec qui j'ai envie de vivre dans l'éternité. C'est à moi de décider !

La vieille douleur endormie au fond de ma poitrine s'est réveillée. Je manquais d'air, je m'asphyxiais et je sentais mes forces me lâcher.

– Je ne pouvais pas te laisser y aller, a dit Patrick en baissant les yeux. Tu ne peux pas comprendre mais tu l'aurais regretté.

Sa voix était douce, désespérée, coupable et envahie de tristesse. Mais ça m'était égal. Il n'avait qu'à être mal. J'étais tellement remontée contre lui que je n'arrivais même pas à le regarder.

Je peux peut-être encore essayer. Ce n'est peut-être pas trop tard. Je peux peut-être encore m'excuser auprès d'elle…

– Non ! a crié Patrick en me secouant brutalement. C'est vraiment ce que tu veux ? Bousiller ta seule chance d'être en paix, être prisonnière de cette espèce de maniaque jusqu'à la fin des temps ? Attendre et implorer la mort sous prétexte que ta vie t'est insupportable ? Excuse-moi, trésor, pardonne-moi mais je refuse de te voir passer le reste de l'éternité en enfer !

Je me suis débattue et me suis dégagée de son emprise.

– Alors ne regarde pas et fiche le camp !

– S'il te plaît, essaie, a-t-il dit en posant sa main sur ma joue, essaie de te rappeler. Tu ne vois pas tout ce à quoi j'ai renoncé pour toi ? Ça fait si long-temps que j'attends. Tu ne le sens pas ?

– Ne me touche pas ! ai-je hurlé. Je ne t'ai jamais demandé de m'aider ! Reste en dehors de ma vie et de ma mort ! Appelle ça comme tu veux ! Fous-moi la paix !

– Brie, ne…

– Quoi ? Qu'est-ce que tu veux, Patrick ? Qu'est-ce que tu me veux à la fin ?

Il n'a pas répondu. J'ai secoué la tête et j'ai tourné les talons.

– Laisse tomber.

– Non, a-t-il dit en me rattrapant par la main, je… je veux dire, nous…

– Il n'y a pas de *nous* ! Il y a toi et il y a moi et c'est tout ! Il n'y aura jamais de nous.

– Trésor, tu ne comprends pas…

– Larkin avait raison. Comment as-tu pu bousiller ma seule chance de réparer les choses à cause d'une stupide et pathétique histoire d'amour qui n'aura jamais lieu ?

Il m'a regardée d'un air défait.

– Comment… Comment as-tu pu tout oublier ?

– Je n'ai rien oublié ! Toi, ça fait tellement long-temps que tu es là que tu ne sais même plus ce que ça veut dire aimer les gens ! Tenir à une promesse quoi qu'il arrive !

Ma voix tremblait mais j'ai continué.

– Tu passes ton temps à faire de mauvaises blagues et à penser à toi. L'amour, c'est tout sauf ça ! Aimer quelqu'un, c'est l'aimer plus que soi-même. Mais tu ne peux pas comprendre.

J'en pleurais de rage. Il était sans voix mais je voyais que mes mots l'avaient touché, que ses yeux s'étaient soudain éteints.

– Je suis désolé, a-t-il fini par dire. J'ai voulu arranger les choses, j'ai voulu te protéger.

– Je n'ai pas besoin qu'on me protège, surtout pas toi !

À la minute où j'ai prononcé ces mots, j'aurais voulu les ravaler. Je n'avais jamais été si cruelle mais les mots sont comme des flèches : une fois lancés, ils restent fichés dans la cible.

– Tu ne sais pas que je t'aime ? Tu n'as jamais vu que...

– Eh bien, moi, je ne t'aime pas. Tu m'entends ? Puis j'ai décoché ma dernière flèche.

– S'il ne restait qu'un garçon sur terre, je ne t'en aimerais pas plus !

À sa façon de me fixer, j'ai vu qu'il ne voyait pas que je mentais.

– *Dulce bellum inexpertis.*

– Je ne suis vraiment pas d'humeur à…

– La guerre est douce à ceux qui ne se sont jamais battus, a-t-il dit. Mais tu ne peux pas comprendre.

On s'était tout dit. Il a fourré ses mains dans ses poches.

– Merci pour ta franchise. Je ne t'embêterai plus. Je ne te ferai plus perdre ton temps.

J'ai jeté mon collier et j'ai regardé la ligne de ses épaules vaciller sous le clair de lune. Le cuir de son blouson semblait soudain d'un autre âge : vieilli, usé, d'une autre décennie.

Son corps diffusait de petits rayons de lumière tandis qu'il s'estompait. À l'inverse d'une photo Polaroid. Ses bottes militaires sont passées du noir au vert au jaune puis au blanc. Son jean aussi. Ses bras, ses épaules, ses yeux, ses yeux si doux, tout a pâli comme s'il ne restait plus rien de son corps. Au fond de moi, j'ai eu envie de lui demander pardon, de l'implorer de rester mais j'étais paralysée. Il m'a juste regardée en souriant. J'ai vu sa bouche remuer doucement mais je ne l'entendais pas. Tant pis. Je savais ce qu'il me disait.

Au revoir.

Je me suis mordu les lèvres et j'ai détourné les yeux. J'aurais mieux fait de ne jamais le rencontrer. De ne jamais lui adresser la parole au Coin. De ne jamais le laisser me pousser du haut du pont, ni m'apprendre à zoomer ni de jamais monter sur sa moto. Mais c'était trop tard.

Ce qui est fait est fait.

Et je me suis retrouvée toute seule. Mais au fond de moi, je savais que cette solitude n'avait rien à voir avec celle d'avant. Cette fois, le silence me suffoquait et j'étais aspirée par une sensation de vide, au fond d'un espace noir comme l'océan. Larkin avait raison. Je ne pouvais me passer de Jacob. Tout ce que je pouvais envisager, c'était de ramper jusqu'à la porte de chez moi, d'y poser ma tête en attendant que le soleil se lève.

– Et maintenant ? ai-je murmuré. Une question stupide dont je connaissais la réponse.

Et maintenant rien. Le néant.

Je me suis recroquevillée, j'ai respiré doucement et j'ai senti mon cœur fantôme se briser une fois encore.

Cinquième partie

Tristesse

Chapitre 38

Since you been gone

Je sentais partout une odeur de fleurs pourries. J'étais comme cernée par des limousines noires, le bruit de leurs roues écrasant le gravier. La pluie crépitait sur les pierres tombales, les portes du cimetière se refermaient sur moi.

Je ne pouvais plus manger, ni dormir. Toutes les nuits, le même cauchemar m'assaillait, comme pour se venger, parfois trois ou quatre fois dans la même nuit. Il commençait toujours au moment où je m'assoupissais, avec le même bruit de moteur, la sensation du vent dans mes cheveux, sous mon casque, la chaleur du soleil sur mes joues, comme si tout était possible. Mais le rêve cédait la place au cauchemar. Alors que je me croyais la fille la plus heureuse de la terre, un sentiment de malaise s'abattait sur moi. Et l'air changeait d'odeur, se remplissait de vapeurs d'essence, de fumée. La moto s'emballait. Je criais, je voyais des mains lâcher le guidon. Et vlan, mes yeux s'ouvraient. J'étais en nage, paniquée, roulée en boule sur ma banquette du Coin. Je rectifie : sur *notre* banquette.

Tu me manques. Je suis désolée.

Et ça recommençait toutes les nuits. J'étais allongée, les yeux fermés, attendant que le cauchemar m'avale tout entière et me recrache lavée, essorée, exsangue, avec la même douleur dans ma poitrine. Quand cesserait-elle ?

Ça ne cessera jamais.

Je ne m'étais jamais sentie plus seule. Personne à qui parler. Patrick était parti pour de bon et je n'aurais même plus Salami. Parce que j'avais bien vu toutes les petites annonces affichées dans mon quartier, sur les piliers électriques, les boîtes aux lettres, dans un rayon de quinze kilomètres.

Perdu : *le chien le plus merveilleux du monde.*
Nom : *Salami, Sal, Sali.*
S'il vous plaît, ramenez-le chez : *le Dr Daniel*
Eagan, 11 Magellan Avenue.

La vérité, c'est que Salami était à papa, depuis le début. C'était papa qui l'avait choisi quand il n'était encore qu'un petit chiot. C'était papa que Salami adorait. Papa et Salami formaient la paire. L'un n'allait pas sans l'autre. Je ne devais plus le garder avec moi. Alors je l'ai emmené faire une dernière promenade sur la plage et je l'ai ramené jusque devant notre porche, les larmes coulant sur mes joues.

– Tu dois rentrer à la maison, mon gars.

Il s'est roulé par terre en gémissant, son dernier joker pour m'attendrir.

– Non, Sali, ai-je dit, on ne joue plus. Papa te cherche partout. Tu lui manques tellement.

Je l'ai serré dans mes bras en tenant sa tête pour embrasser son museau. De ses grands yeux marron, il me regardait en me léchant le nez.

– Tu vas bien te conduire, hein ? Pas de crotte sur les pelouses des voisins ? ai-je dit en apercevant la maison des Brenner. Enfin, si, tu as le droit de crotter sur cette pelouse, mais sur aucune autre, d'accord ?

Non, disaient ses yeux. *Ne t'en va pas. Jouons encore.*

Et il s'est mis à hurler et à aboyer comme un fou. C'était tout ce qui manquait. Je savais que papa était à la maison. Je le sentais.

– Oui, oui, ai-je dit en me forçant à sourire. Je t'aime, mon petit moustachu.

Je me suis concentrée au maximum et j'ai appuyé sur la sonnette. Le moment était venu. Je devais l'affronter. Mais quand la porte s'est ouverte, ce n'est pas papa qui est apparu mais *elle.* Le plus horrible visage du monde.

– Tu l'as laissée entrer ? ai-je dit d'un air dégoûté. Tu l'as laissée entrer chez *nous* ?

– Ah, où étais-tu passé, imbécile ? a dit Sarah Brenner. Allez, entre !

Mon sang n'a fait qu'un tour quand j'ai vu ses mains manucurées entourer le cou de Salami. J'aurais voulu les arracher, coincer ses ongles rouges dans la porte pour qu'elle comprenne ce qu'on éprouve quand on voit sa famille se défaire.

– Danny ? a-t-elle crié. Il est revenu ! Le chien est revenu !

Je devais le reprendre avec moi et en un zoom, nous transporter jusqu'au Coin. J'avais peut-être fait une grosse erreur. Mais quand j'ai vu papa descendre l'escalier et la queue de Salami s'agiter dans tous les sens, j'ai compris que non. Alors j'ai fait demi-tour et j'ai traversé la pelouse en essayant de prendre mon élan pour décoller vers mon coin de paradis, en larmes. Je ne regarderais plus jamais en arrière. J'en avais fini avec ces allers et retours. Je devais me poser, m'installer pour de bon parce que c'était trop dur de voir mon ancien monde continuer à tourner sans moi. Je ne pouvais plus rien y faire. Ma place n'était plus sur Terre, point barre.

Au moins, au Coin, je pouvais faire ce que je voulais. Rester assise des jours et des nuits sans qu'on m'embête. Marcher à perte de vue sans aller nulle part. Regarder les mêmes films tristes en boucle, en me répétant les mêmes répliques tristes. Quand l'odeur de pizza m'écœurait, je n'avais qu'à sortir faire un tour, me percher en haut d'une falaise, de l'autre côté de l'autoroute. De là, je contemplais la mer en me demandant ce qui était arrivé à Jacob, s'il avait oui ou non mis son plan à exécution. Je ne l'avais encore croisé nulle part, ce qui était bon signe, mais il avait très bien bu atterrir ailleurs qu'au Coin.

Dans un endroit bien pire. Comme Larkin.

Mieux valait ne pas y penser. J'ai fermé les yeux et j'ai plongé tête la première dans l'océan, en me laissant tomber jusqu'au fond, là où je trouverais peut-être une sorte de paix. En plus, sous l'eau, personne ne voit que vous pleurez. Je ne sais combien de temps je suis restée au fond, peut-être plusieurs jours, plusieurs semaines, quelle importance. Je ramassais des coquillages, je jouais avec les bernard-l'hermite, je me faisais des bracelets d'algues en me prenant pour la petite sirène, bien que mes seins soient plus petits que les siens. Parfois j'avais l'impression d'apercevoir le visage de Patrick, surgissant comme une méduse, et j'imaginais qu'il me ramenait à la surface. La vie aurait été tellement différente si nous nous étions rencontrés sur Terre.

Si nous avions eu le même âge. S'il m'avait embrassée lui sur la piste de danse cette fameuse nuit, tous deux enlacés sous les boules disco qui scintillaient.

Une méduse a bien surgi un jour et j'ai foncé vers la surface. Je suis retournée à ma petite routine auto-apitoyée. Finalement le malheur, on s'y habitue comme au reste et on peut même devenir accro.

Je suis même retournée à San Francisco deux fois, dans l'espoir d'y recroiser Larkin. Je suis allée dans nos endroits préférés, l'aire de jeux, le sommet de la pyramide, mais je ne l'ai pas retrouvée. Comme si en fait j'avais rêvé tout ce temps passé avec elle. Comme si j'étais la seule âme errante à traîner par là. Qui sait ? C'était peut-être ce qui m'attendait : une solitude éternelle en guise de châtiment pour avoir été assez bête de croire au grand amour.

Mais ça n'avait plus aucune importance. Je m'en fichais. Parce que devinez quoi ? Je n'y croyais plus.

Chapitre 39

Hit me with your best shot

Je marchais dans une jungle brésilienne. Il faisait chaud, humide, une chaleur assommante et j'étais cernée de nuées de moustiques, de serpents et de scarabées de la taille de ma tête, de tigres endormis sous les arbres.

Raté.

Au fait, il n'y a pas de tigres au Brésil. À rayer.

Je marchais dans une jungle indienne. Il faisait chaud, humide, c'était…

Raté.

J'ai agité ma main dans l'air. Quelque chose me poursuivait. Une araignée ? Un singe ? Un singe-araignée ? Un boa constricteur sur le point de me sauter au visage ? J'ai foncé dans les feuillages et je me suis cachée à l'ombre d'un banyan géant. Pas de griffes. Pas de crocs. Ni pattes. Rien. Je me suis enfuie. Ouf.

Raté de chez raté.

– Laisse-moi, ai-je marmonné, je suis occupée.

– Mouais, tu n'as pas l'air occupée.

– Je le suis.

– Tu fais quoi ?

Je me suis redressée et me suis trouvée nez à nez avec Princesse Bling-Bling.

– J'essaie de méditer, ça te va ?

– Ah. Désolée, a-t-elle dit en reculant.

Elle s'est enroulé une boucle de cheveux blonds autour de l'oreille, ses bracelets tintant sur son poignet, comme toujours. J'ai croisé les bras. C'était la première fois qu'elle me parlait. À quoi s'attendait-elle ? À ce qu'on devienne *Best Friend* illico ?

– Désolée, ai-je dit, agacée.

Bling bling.

– Je me demandais juste si tu me donnerais un autographe. Je ne voulais pas déranger le dalaï-lama.

– Un autographe ? Pourquoi ?

– Parce que tu es célèbre !

Elle a désigné la télé autour de laquelle s'étaient rassemblés les habitués du Coin.

– Regarde, tu es aux nouvelles !

Qu'avait-elle fumé ? Du crack spécial bling-bling ou quoi ? Je me suis dirigée vers la télé, pensant que c'était le seul moyen de la faire taire. Mais quand j'ai vu le type qu'on interviewait, je n'en suis pas revenue. L'homme qui était à l'écran, c'était mon père.

– Monte le son, ai-je demandé au joueur de foot. S'il te plaît.

« Tout le monde est susceptible d'avoir eu le cœur brisé. Mais la plupart d'entre nous ignorent qu'un cœur brisé peut l'être à mort. Nous sommes en compagnie du Dr Daniel Eagan, un cardiologue réputé de l'université de San Francisco qui a passé toute son année à étudier le Syndrome du Cœur Brisé. »

Papa était assis, les mains sur les genoux. Il n'avait pas dû se raser ni sourire depuis des semaines.

– Donc, a dit la journaliste aux yeux bleus d'une voix enjouée, dites-nous, est-ce que le Syndrome du Cœur Brisé est fréquent ?

– Pas très, a-t-il répondu, on estime à un ou deux pour cent les sujets atteints de SCB. C'est très rare et touche plutôt les femmes mûres. Il n'entraîne pas forcément la mort mais ça peut arriver.

Il a regardé la caméra et j'ai senti une boule dans ma gorge.

La voix off du commentaire a repris :

« Mais le Dr Eagan est personnellement concerné par le SCB parce qu'à l'automne dernier, il a tragiquement perdu sa fille adolescente, Aubrie, le premier cas de SCB à son sens ayant touché une personne jeune. »

En voyant mon visage à l'écran, j'ai eu la chair de poule. Ils ont d'abord passé ma photo de l'école puis une autre où j'étais avec les filles et enfin, celle de papa et de moi en train d'éclater de rire.

La boule a grossi dans ma gorge mais je ne devais pas pleurer.

« Vendredi, une nouvelle aile de l'université de médecine de San Francisco a été baptisée du nom d'Aubrie, un département consacré à la pédiatrie cardiaque, dont le Dr Eagan est le chef de service ».

– Tu vois ! a dit Bling-Bling en me tapant le bras, je te l'avais bien dit !

La caméra est revenue sur papa.

– Au début, a dit la journaliste, personne ne vous a cru.

Papa a acquiescé.

– Le corps médical pensait que la mort de Brie avait été causée par un antécédent pathologique. Mais tout a prouvé le contraire. Elle était en bonne santé. Je n'ai jamais pensé que c'était en lien avec une quelconque pathologie cardiaque.

– Quel était votre objectif ? a demandé la journaliste. Qu'entendiez-vous prouver par vos recherches ? Pensez-vous que vous auriez pu faire quelque chose pour sauver votre fille ?

Il a hésité.

– Je ne sais pas si j'aurais pu la sauver. Et je ne sais pas non plus ce que j'entends prouver. L'amour nous fait tous souffrir, qu'on soit jeune ou vieux.

Il a jeté un œil à la caméra, au bord des larmes.

– Mais ce que je sais, c'est que nous autres parents, nous devrions tous parler plus souvent avec nos enfants de ce qu'ils ressentent. De ce qu'ils vivent. Et nous devrions surtout les écouter, a-t-il dit dans un sourire triste.

Sauf que toi, tu étais trop occupé par ta liaison.

On a vu des images du lycée et le commentaire a repris.

« Des paroles pleines de sagesse qui résonnent d'autant plus depuis le tragique incident survenu il y a quelques semaines à peine... »

– Quoi ? ai-je fait, prise de panique. Quel incident ?

« ... quand le champion du lycée Pacific Crest qui avait été le petit ami de Mlle Eagan au moment de sa mort... celui dont on disait qu'il lui avait brisé le cœur... »

Un vertige m'a saisie. *Non, non, non.*

« ... l'étoile montante de l'athlétisme, Jacob Fischer... »

– *Pitié*, ai-je imploré, *pitié non.*

« ... a été retrouvé inconscient dans sa maison... »

Les murs se sont comme rapprochés. Je ne pouvais plus rien écouter. Ma gorge s'est bloquée et je me suis sentie partir, derrière un rideau de larmes. Je me suis frayé un chemin pour sortir. J'avais besoin d'air. Tout de suite.

– Hé ! a crié Bling-Bling. Ça va ?

J'ai mal. J'ai si mal. Patrick, où es-tu ?

Je perdais pied. Je voyais tout flou et la pièce commençait à tourner autour de moi. Et soudain, j'ai senti mon visage heurter le lino glacé.

Chapitre 40

What a girl wants

– Wouah, elle va avoir un de ces maux de tête.

– Elle est morte, on dirait.

– Désolé mais je te rappelle qu'on est tous morts.

J'ai ouvert les yeux. Bling-Bling et le garçon à la DS me regardaient comme si j'étais un monstre. Frankenbrie. Ou Eaganstein. J'ai touché mon front, j'avais une énorme bosse. Aïe.

– Ça va, a-t-elle dit en riant, tu es salement tombée. Pas aussi salement que lorsque ces idiots de surfeurs m'ont poussée mais c'était impressionnant.

Elle s'est penchée sur moi et a posé quelque chose de glacial sur mon visage. J'ai tressailli.

– De la glace italienne, je n'ai pas trouvé mieux. Ça empêchera que ça enfle.

Lentement, je me suis relevée. J'ai avancé jusqu'à ma banquette et je me suis assise.

– Merci.

Ils m'ont suivie tous les deux.

– De rien, a dit Bling-Bling en poussant le garçon à la DS du coude. Lui, c'est Sam, moi, c'est Riley.

Je leur ai vaguement souri.

– Moi, c'est Brie.

– On sait. Tu es la vedette du coin.

– Ah oui, c'est vrai. J'avais oublié.

– Au fait, a-t-elle dit en gloussant, où est passé ton copain ?

– Pardon ?

– Le beau gosse. Tu crois que tu pourrais nous le… présenter ? Un de ces jours ?

Que dire ? Elle a attrapé son sac, tout excitée.

– Je dois t'avouer que j'en pince pour lui depuis… toujours. Mais je parie qu'il ne m'a même pas remarquée.

Elle a sorti une boule de papier et l'a posée devant moi sur la table.

– Je suis tellement nulle que même son écriture, je la trouve adorable.

Son écriture ?

Je me suis sentie rougir. J'ai pris la boule de papier et je l'ai défroissée lentement. Entre les taches de pizza, je reconnaissais la liste de mots qu'il avait écrits. Ils étaient tous rayés sauf deux :

~~DÉNI~~
~~COLÈRE~~
~~NÉGOCIATION~~
TRISTESSE
ACCEPTATION

– Tu as trouvé ça où ? ai-je demandé calmement.

J'ai fouillé dans ma poche et j'ai retrouvé le stylo, le magnifique stylo que j'aimais en primaire, et j'ai rayé « Tristesse ». Mais à vrai dire, je me sentais super triste.

– Nom de Dieu, s'est-elle exclamée, tu dois penser que j'ai fouillé ?

Sans blague ?

Patrick avait raison : les filles sont toutes folles. Elle a gloussé encore une fois.

– Je te jure que…

– Je ne crois pas que tu sois son genre, ai-je lâché, sans te vexer.

Elle est restée sans voix.

– Quoi ?

– Tu as très bien entendu.

– Ah, tu crois ?

– Je crois.

– Parce que toi, tu l'es ? a-t-elle dit en se moquant.

Peut-être.
C'est possible.
C'est sûr.

Elle s'est levée et a tourné les talons. Et pour la première fois depuis longtemps, j'ai souri.

J'ai regardé le gars à la DS. Ses cheveux bruns et son visage poupon m'ont tout de suite rappelé Jack. Qu'avait-il bien pu arriver à ce petit garçon pour qu'il finisse ici, au Coin ? J'ai montré du doigt son sweat-shirt.

– Harvard, hein ?

Il a acquiescé.

– Michael y va.

J'ai hésité.

– C'est qui Michael ?

– Mon frère.

Il a perdu son frère.
Tout comme Jack m'a perdue.

Le rire de Jack a résonné en moi, ses fous rires quand on se courait après le samedi matin. Son sourire me manquait tout comme ses épis dans les cheveux. Même ses pets sur mon oreiller me manquaient, le châtiment qu'il m'infligeait parce que j'avais le droit de me coucher plus tard que lui.

Oublie. Pense à autre chose.

– Alors ? ai-je dit pour chasser mes souvenirs. Tu fais une pause ?

Sam s'est gratté le nez.

– Je n'ai plus de piles.

334

Au ton de sa voix, je sentais que j'avais touché un point sensible. Et j'ai compris pourquoi. Les jeux vidéo devaient l'aider à oublier sa souffrance.

– Et tu en voudrais des neuves ?

Son visage s'est illuminé comme un sapin de Noël.

– Oh oui ! Tu peux en avoir ?

Manifestement, personne ne s'était donné la peine de fournir à Sam un exemplaire du *D&J*, sans doute parce qu'il était trop jeune pour le lire. J'ai souri. J'allais le faire partir en vrille. J'ai agité mes mains d'un air mystérieux, comme je le faisais tout le temps avec Jack quand on s'entraînait à faire des tours de magie. Sauf que là, c'était vraiment de la magie.

– Abracadabra…

Sam a ouvert des yeux ronds. J'ai continué à agiter mes mains, je les ai mises derrière mon dos et j'ai fait un vœu, ce qui ne m'était pas arrivé depuis des lustres. Comme Patrick me l'avait appris.

Des piles, s'il vous plaît, des double A.

J'ai souri à Sam.

– Choisis une main. N'importe laquelle.

– Celle-là, a-t-il fait en montrant ma main gauche.

Je l'ai ouverte.

– Non, réessaie !

Il a fait une grimace, comme si j'avais triché et a désigné ma main droite.

– Celle-là ?

– Ta-da ! ai-je fait en lui lançant les piles.

Il m'a regardée puis il a fixé les piles. Il les a prises, les a touchées doucement comme si elles allaient se volatiliser. Ensuite il les a mises dans sa DS et l'a rallumée. Le petit jingle a retenti.

– Merci, a-t-il dit, ravi. Tu l'as remise en marche.

Et il a fondu en larmes.

– Mais non, mon petit chéri, ai-je dit, désolée.

Je me suis levée pour m'asseoir à côté de lui. J'ai passé mon bras sur ses épaules et je l'ai serré fort. Il s'est blotti contre moi. Je sentais ses larmes mouiller le tissu de ma robe tandis que je le berçais.

– Ch…, tout va bien, tout va bien.

– Non ! Je veux rentrer à la maison.

Je me suis rappelé ce matin où j'avais vu Jacob et Sadie sur la plage. Comment Patrick m'avait prise dans ses bras jusqu'à ce que je n'aie plus de larmes à verser et comment il m'avait ramenée au Coin, en me chuchotant que tout irait bien. Je me rappelais la douleur dans son regard quand il m'avait fait part de ses sentiments et que j'avais été si cruelle, comme si je m'en fichais. Comme si je me fichais de lui. Parce qu'à cet instant, je n'avais pensé qu'à moi. Tout ça m'est revenu alors que je serrais ce petit garçon qui sanglotait contre moi.

J'avais brisé le cœur de Patrick.

Tout comme Jacob avait brisé le mien. Et je me détestais. Soudain, j'ai eu envie de tout savoir de Patrick, ce qu'il avait été et ce qu'il m'avait pris quand il avait disparu. Parce que j'en avais vraiment assez d'être jetée dans les ténèbres. J'en avais assez d'être triste et seule et de me sentir amputée de l'intérieur. Quelque chose me manquait et m'avait toujours manqué, même de mon vivant. J'ai attendu que Sam cesse de pleurer. Je l'ai embrassé sur la joue et je lui ai caressé les cheveux.

– Je reviens.

Je me suis levée, les épaules en arrière et la tête bien droite, et je suis allée vers la seule personne susceptible de me donner des réponses, qu'elle le veuille ou non : Madame Mots Croisés.

Chapitre 41

Let us die young,
let us live forever

– Où est-il ?

Je me suis assise sur un tabouret devant elle en m'accoudant au comptoir. Elle a haussé les épaules sans relever les yeux de ses mots croisés.

– S'il vous plaît, dites-le-moi.

– C'est confidentiel.

Ah… ah, donc elle sait quelque chose.

– Mais c'est important.

Elle m'a regardée longuement, sévèrement. Je n'ai pas baissé les yeux. Elle a fini par poser son crayon sur le comptoir.

– Tu es contente ?

– Je serai contente lorsque vous me direz où est Patrick.

– Comment le saurais-je ?

– Vous le savez. Vous savez tout.

Elle m'a fixée d'un air suspicieux.

– Tu me flattes, hein ?

Sans blague ?

– Non, pas du tout. Mais je ne vous demande pas grand-chose, dites-moi juste où il est.

– Je t'ai déjà répondu.

J'ai soupiré d'un air énervé. La mort était décidément aussi compliquée que la vie. Pleine de règles stupides.

– Je vous le demande gentiment, ai-je repris. S'il vous plaît, ça fait des semaines qu'il est parti. Je me fais du souci pour lui.

Elle a ricané.

– Sauf que c'est à cause de toi qu'il est parti ! Et c'est aussi à cause de toi que je me retrouve toute seule à devoir m'occuper de dix-huit personnes, a-t-elle ajouté en reprenant son crayon.

Et je me suis souvenue tout à coup du formulaire que j'avais dû remplir lors de ma première nuit au Coin. Patrick l'avait-il rempli lui aussi ? Est-ce que Madame Mots Croisés avait un dossier le concernant ? Je me suis penchée et je lui ai arraché sa grille.

– Hé là !

– Je vous la rendrai quand vous m'aurez donné le dossier de Patrick ! ai-je lancé en commençant à remplir la grille avec mon stylo.

– Pas à l'encre ! L'encre ne s'efface pas !

– Voyons voir… Un mot de quatre lettres désignant un fromage méditerranéen qu'on met dans la salade grecque ?

– Feta ! a-t-elle crié.

– J'ai trouvé ! ai-je crié à mon tour en commençant à inscrire les lettres dans les cases. B.R.I.E. !

– Mais non !

Elle a essayé de m'arracher la grille mais je résistais.

– Rends-la-moi, tu es en train de mettre n'importe quoi !

– Un mot de dix lettres désignant une personne qui ne mange pas de viande ?... Hum, difficile, ai-je dit en faisant celle qui ne trouvait pas.

– Végétarien !

– J'ai trouvé ! me suis-je exclamée en appuyant très fort sur la pointe du stylo. Végétalien !

– Tu n'as pas honte ? a-t-elle gémi.

– Comment ? Qu'avez-vous dit ?

Mais je ne lui ai pas laissé le temps de répondre et j'ai continué à lire mes définitions.

– Celui-là, il est coton... en sept lettres, une sorte de charcuterie...

J'ai fermé les yeux en psalmodiant comme un maître de yoga.

– Mais c'est bien sûr ! S... A... L... A... Ah non, ça ne va pas, salami n'a que six lettres...

Je me suis tapé le front en exagérant mon effet.

– Ce doit être rosette, zut, je ne peux plus effacer ! Quelle idiote je suis ! J'aurais dû écrire au crayon.

Madame Mots Croisés était devenue violette. Son visage ressemblait davantage à une aubergine qu'à celui d'une femme. Mais tant pis ! Je devais tout faire pour obtenir le dossier de Patrick car lui avait certainement pu consulter le mien.

– Bon, tu veux son dossier ? a-t-elle fini par dire en sortant une enveloppe kraft du tiroir qui se trouvait près d'elle. Tiens, le voilà !

Je l'ai prise en lui décochant un sourire des plus sincères.

– Merci.

Ensuite je lui ai lancé sa grille et suis sortie du Coin en manquant de défoncer la porte. J'ai serré le dossier de Patrick contre ma poitrine et j'ai zoomé en direction du seul endroit où personne ne viendrait me déranger : le pont. Quand mes pieds se sont posés sur le revêtement métallique orange du Golden Gate, j'ai pensé que Patrick aurait été fier de moi.

– Atterrissage parfait !

Mes poumons se sont emplis d'air marin. Il y avait peu de vent et le ciel était tout en demi-teintes de mauve et de gris. Les montagnes s'ouvraient devant moi, royales et mystérieuses. Le soleil me réchauffait.

– Allez, fini les secrets, ai-je dit en ouvrant délicatement l'enveloppe.

Il y avait dedans une liasse de feuilles. J'ai commencé par la première. Le même questionnaire que celui que j'avais rempli il y a un an. Les réponses écrites au crayon avaient pâli avec le temps mais j'arrivais quand même à lire.

Nom : Patrick Aaron Chérit.

Chérit ? Il s'appelle Chérit ?
Comment ai-je pu passer à côté de ça ?

Date de naissance : 1ᵉʳ août 1965
Date de décès : 11 juillet 1983

Wouah... J'avais beau avoir plaisanté là-dessus avec lui, c'était quelque chose de le voir écrit noir sur blanc. J'avais bien passé mon temps avec un type de quarante-cinq ans.

Cause du décès : *sui caedere*

Ah, cette manie qu'il avait de mettre du latin partout ! *Sui caedere ?* Qu'est-ce que ça voulait dire ? Je me suis explosé à moto ? Quel idiot d'avoir dit ça ! J'ai continué à déchiffrer les autres lignes mais le crayon avait tellement passé que je n'arrivais plus à lire. Sauf les deux réponses de la fin.

Espoirs : Lily me retrouvera.
Rêves : Elle me pardonnera.

Enfin, je tenais quelque chose de réel ! Quelque chose à quoi m'accrocher ! Un nom.

– Lily, ai-je dit plusieurs fois, Patrick et Lily.

C'était donc elle celle qu'il avait aimée. Leurs deux prénoms ensemble sonnaient bien. Une jalousie ridicule m'a piquée un instant. Comment pouvais-je être jalouse de quelqu'un qu'il avait connu il y a un siècle, alors que je n'étais même pas née ?

Je ne sais pas. Je ne sais pas du tout.
Allez, ne sois pas ridicule.

J'ai tout fait pour chasser cette pensée en me disant plutôt que j'étais une sacrée détective privée. Pas encore à la hauteur de Sherlock Holmes mais pas loin. Qu'avait-il fait à cette fille ? Que devait-elle lui pardonner ?

Typiquement masculine
cette façon de tout bousiller.

J'ai feuilleté le reste des papiers, rien de passionnant, et j'ai fini par tomber sur la photo d'un bébé aux cheveux et aux yeux noirs, avec un sourire ultra reconnaissable.

Patrick Chérit était un bébé adorable.

Puis j'ai trouvé un journal replié. Il était daté du 11 juillet 1983. J'ai défroissé le papier délicatement pour ne pas le déchirer et je l'ai posé sur mes genoux en remerciant le ciel de ne pas souffler de vent. J'ai commencé à lire les grands titres. L'un d'entre eux se détachait de tous les autres.

UN GARÇON DE HALF MOON ATTENTE À SA PROPRE VIE

Je l'ai relu plusieurs fois. Ça ne pouvait pas être lui puisqu'il était mort à moto. Et j'ai lu l'article.

« Selon les déclarations de la police, dimanche soir, un lycéen s'est suicidé dans le quartier de Half Moon Bay. Le corps de Patrick A. Chérit a été retrouvé aux alentours de vingt et une heures dimanche soir sur la plage de Breakers Beach : il se serait jeté à l'eau après s'être automutilé à l'aide d'un couteau. Chérit laisse derrière lui une mère, trois sœurs et un père et aurait été victime d'un grand désespoir à la suite de la disparition de son amour de jeunesse, Lilian R. Thomas, seize ans, dans un tragique accident de moto remontant au week-end du 4 juillet. »

J'étais comme poignardée à mon tour. Un mélange de voix, de sirènes et de bruits de métal a déchiré mes poumons en feu. La vision est devenue si intense qu'elle s'est troublée.

À l'aide ! À l'aide ! Je ne peux plus respirer !

Un garçon s'est précipité sur moi, en criant, en collant sa bouche sur la mienne pour m'insuffler un peu de vie mais c'était trop tard. J'étais projetée dans un tourbillon de larmes, de cris, de baisers et de bruits de portes qui claquaient, qui me bloquaient à l'intérieur d'un cimetière.

Ne me laisse pas, je t'en supplie,
ne me laisse pas seule ici.

Je tremblais de tout mon corps. J'ai quand même relu le questionnaire.

Cause du décès : *sui caedere*.

Les lettres se sont mélangées pour former le mot *Suicaede*. J'ai lâché la feuille.

– Il m'a menti, ai-je dit.

Patrick n'était pas mort à moto. Il s'était suicidé. Mais pourquoi ? Pourquoi m'avoir menti ?

Je creusais.

Laissez-moi sortir.

Je grattais.

Aidez-moi.

Je griffais.

S'il vous plaît.

Le silence. L'immobilité. Les ténèbres. L'infini.

J'ai entendu la voix d'un garçon à travers la terre boueuse. Une voix calme traversée par l'odeur suave de l'essence et des larmes.

S'il te plaît. S'il te plaît, ne me laisse pas.
Je ne peux pas vivre sans toi, trésor.

J'ai aperçu une autre feuille dans le dossier de Patrick et, terrifiée, j'ai lu la date portée dessus.

5 juillet 1983.

Soit une semaine avant la date inscrite sur la première feuille. Au centre s'affichait le désastre. Une photo qui montrait une compression de métal déformé, un guidon tordu, des pneus et une selle en morceaux. Une promenade idyllique sur l'autoroute 101 qui avait viré au cauchemar.

Ma voix s'est brisée sur le titre.

347

Un couple d'amoureux
détruit dans un accident de moto.

Je n'arrivais pas à lire l'article, mes yeux revenant sans arrêt à une deuxième photo où on voyait un garçon et une fille. Le temps avait effacé les contrastes mais c'était bien lui. Patrick. Avec son blouson de cuir, son jean délavé et son sourire à tomber. Derrière lui, les bras autour de sa taille, son amoureuse. Lily. Alors c'était donc elle. La fille que Patrick avait aimée au point de passer vingt-sept ans dans une pizzeria sordide en attendant, en espérant qu'elle en franchisse les portes pour se jeter dans ses bras. Je m'absorbais dans la photo quand soudain j'ai compris. Ses longs cheveux bruns. Son sourire radieux. Son visage si fragile, si confiant. Mes yeux ne s'en décollaient plus. Parce que la fille sur la photo, eh bien, c'était moi.

Chapitre 42

Wake me up inside

– Ça n'a aucun sens.

Je fixais la photo si fort que mon cerveau allait certainement exploser ou mes yeux sortir de leurs orbites, ou les deux en même temps.

– Comment est-ce que ça pouvait être moi ? Comment pouvait-elle être moi ? Comment ?

Comment une fille aussi ordinaire que moi pouvait-elle être deux personnes à la fois ? Est-ce qu'on m'avait recyclée ? Retapissée ? Comme lorsque papa et maman avaient fait refaire le canapé du salon ?

La mort vous fait perdre votre latin, euh...

J'ai respiré profondément, histoire de reprendre mon calme.

– Il y a sûrement une explication logique, me suis-je dit. Une explication rationnelle.

Et puis je me suis souvenue que j'étais perchée au sommet du Golden Gate et que j'étais morte depuis près d'un an. Comme explication rationnelle, il y avait mieux.

Ou peut-être étais-je morte il y a trente ans.

J'ai posé ma main sur mon cœur, dans le genre serment officiel.

– Allez, bats ! lui ai-je ordonné en le tapant de ma main droite. Bats !

Mais seul l'écho du vide me répondait. J'ai recommencé.

– Bats. Allez, bats, espèce de crétin !

Mais rien ne répondait, ni pouls, ni étincelle, rien de chez rien. J'ai hurlé de toutes mes forces.

– Où es-tu ? Pourquoi ne m'as-tu rien dit ?

Patrick n'a pas répondu. La connexion entre nos deux esprits était définitivement coupée. Je suis tombée sur le pont, coudes en avant. Au fond de moi, la vérité, je la connaissais. Il me l'avait dite, ou du moins il avait essayé, mais je n'avais pas voulu l'entendre.

Où pourrais-je le retrouver ? Où pouvait-il avoir disparu ? J'avais cherché partout, dans tous les coins et recoins de mon paradis, sur toutes les autoroutes, dans toutes les forêts, sur tous les ponts, toutes les collines. Où me restait-il à chercher ? Je regardais le monde tournoyer entre les lames de métal du pont quand j'ai aperçu au loin, vers le nord-est, une petite île au-delà de Sausalito, juste en face de Tiburon.

Le soleil couchant faisait scintiller toute la baie mais la petite île rougeoyait comme un feu sur les eaux noires et profondes. Et en un instant, le ciel doré est devenu bleu nuit. De gros nuages sont descendus du nord, sans doute de l'Oregon et de Vancouver, pour recouvrir toute l'île. On n'y voyait plus que la ligne des arbres. J'ai bondi.

Comment s'appelle cet endroit ?

Les mots de Larkin ont résonné en moi, comme soufflés par le vent. Je savais qu'il était là-bas.

Angel Island, là où les morts vont mourir.

Je n'avais pas le temps de me dire qu'il était trop tard. Je me suis hissée sur la tour nord du pont, j'ai levé les bras au-dessus de la tête et j'ai plongé. Et cette fois, je ne suis pas tombée mais j'ai volé. J'ai zoomé en fondant à travers le vent, le brouillard et les derniers rayons du jour. Mes pieds ont accroché le sol de la plage rocailleuse comme les griffes d'un chat. Parcourue de frissons, j'ai regardé autour de moi. De grands arbres menaçants s'étalaient à perte de vue tout le long de la plage et le clair de lune laissait entrevoir des tonnes de débris échoués un peu partout, comme après une tornade. J'étais pétrifiée par le seul bruit de mes chaussures sur les rochers.

Mon pied droit a buté sur une branche et je me suis retrouvée les genoux dans le sable. Et c'est là que j'ai senti quelque chose d'étrange. Comme une odeur de métal émanant du sable. J'en ai pris une poignée dans mes mains.

Du sang ! Le sable sentait le sang !

Une vague s'est échouée sur moi, laissant derrière elle des traînées de sang.

– Il y en a dans l'eau, il y en a partout !

Tout mon corps s'est paralysé. Je devais fuir cette île sur-le-champ mais je butais sans arrêt sur de nouveaux débris. Puis quelque chose a grogné dans la nuit.

– Qui... qui est là ?

Affolée, je me suis relevée en retirant comme je pouvais les paquets de sable ensanglantés qui me collaient à la peau. Personne ne répondait.

Était-ce mon imagination ?

La lune a jeté un éclair pâle sur le rivage. Ce que j'avais pris pour des déchets, de simples bouts de bois, étaient en fait des corps. Il y en avait des centaines. Leurs membres se tordaient dans le sable et à travers ce qui leur restait de peau, on apercevait des côtes, des clavicules et des pommettes qui semblaient nacrées comme de la neige. C'était pire que tous les charniers que j'avais pu voir dans les livres d'histoire. J'étais comme cernée par une mer de visages et d'âmes sanguinolentes en décomposition.

J'ai encore essayé de retirer le sable qui se prenait dans mes vêtements mais plus je frottais, plus il s'accrochait à mes chaussures, à mes cheveux jusqu'à ma bouche et mes ongles. J'ai toussé, j'ai craché mais j'avais sur la langue un horrible goût de rouille.

– Où es-tu ? Patrick, réponds-moi, je t'en supplie !

Des voix ont alors déchiré la nuit.

Je suis innocent... Je jure que je n'ai rien fait.
Tu dois me pardonner. Vous devez me pardonner.
Maman ? Maman, c'est toi ?
Tu m'as menti. Tu m'as menti...

Les voix se chevauchaient dans un concert de hurlements qui m'ignoraient. J'ai commencé à marcher au milieu des corps dans l'espoir d'apercevoir ses yeux, son sourire. Et mes semelles continuaient à s'accrocher, à buter.

– Patrick ! Es-tu là ?

– Attention ! a dit quelqu'un.

– Désolée, ai-je dit en heurtant un corps.

– Hé !

– Excusez-moi, je ne voulais pas...

Je scrutais les visages mais ils se ressemblaient tous.

– Mais non, regarde bien, a dit une voix de fille, on n'est pas tous pareils...

J'ai suivi la voix en enjambant d'autres silhouettes jusqu'à ce que j'avise une longue tresse noire. Je me suis agenouillée et j'ai fait rouler le corps tout doucement.

Larkin.

– Brie, a-t-elle murmuré. Je ne pensais pas te revoir.

– Que fais-tu ici ? ai-je répondu en posant sa tête sur mes genoux. Que s'est-il passé ?

Elle me regardait sans ciller puis ses lèvres ont remué pour essayer de me parler.

– Je ne voulais plus rester seule. Je ne voulais plus rester en ville.

– Je suis désolée, ai-je dit en pleurant. Je ne voulais pas te faire de mal, je ne voulais pas tout ça.

– Vraiment ? a-t-elle dit.

J'ai essuyé le sable sur son visage. Elle était devenue l'ombre d'elle-même. Rien à voir avec la fille qui se jetait du haut des gratte-ciel, qui s'occupait de moi et qui m'aidait à me sentir plus forte. Larkin Ramsey était en train de redevenir poussière sous mes yeux.

– Ça va aller, lui ai-je dit d'un ton rassurant. Je vais te sortir d'ici.

– Brie… C'est moi qui ai mis le feu à ma maison… Tu le savais ?

– Larkin, pourquoi t'accuser ? Tout le monde sait que c'était à cause d'une bougie. C'était un accident. Un terrible accident.

– Non, c'était à cause de moi. Je l'ai fait exprès. Je voulais mourir.

– Non, pitié, ne dis pas ça.

– Mais c'est la vérité, a-t-elle continué en souriant. Je me sentais si seule. Je n'en pouvais plus. Le problème, c'est qu'après, ça a été pire…

Elle a posé sa main sur la mienne.

– Ça craint, hein ?

– Mais rappelle-toi, à ton enterrement, il y avait plein de gens qui t'aimaient.

– Non, ils ne m'aimaient pas. J'y étais. J'ai bien vu leurs airs coupables. Personne ne s'était jamais soucié de moi jusque-là.

Ses mots ont percuté mes propres souvenirs. J'avais éprouvé la même chose face à tous ceux qui étaient à mon enterrement pour me rendre un dernier hommage. Comme Jacob, Larkin me faisait comprendre qu'au-delà des apparences, on ne connaissait jamais vraiment les gens qu'on disait aimer.

– Pourquoi ne me l'as-tu pas dit ? Pourquoi ne m'as-tu jamais dit ce qui t'était arrivé ?

Mais son corps était devenu si translucide qu'il se confondait avec le sable.

– Je ne sais pas, a-t-elle dit doucement. Parfois on préfère oublier…

– Larkin, je…

– C'est pour ça que j'ai voulu y retourner, a-t-elle continué en s'accrochant à mon bras. J'ai voulu donner mon âme pour réparer mais c'était un piège, Brie. J'ai essayé de changer les choses mais je te jure que ça n'a servi à rien. Personne ne me voyait…

Puis elle a éclaté en sanglots.

– Ne t'en fais pas, ne t'en fais pas, je suis là.

– C'est pour ça que j'ai ça, a-t-elle ajouté en me montrant son tatouage. Je suis devenue une âme errante en résidence.

Ces mots, je les connaissais. Où les avais-je entendus ? Et soudain, j'ai revu le graffiti près du Rabbit Hole. C'était le même symbole que le tatouage de Larkin.

– Le pire, c'est que… a-t-elle dit en tremblant… j'allais te faire subir la même chose. J'allais te voler ton âme, Brie. Pour sauver la mienne. Pour repartir de zéro, vivre à nouveau…

Ma tête était sur le point d'exploser.

– Tu veux parler de réincarnation ?

– Oui, c'est ce que font les âmes perdues depuis des millénaires. Elles reviennent sur Terre après avoir volé l'âme de quelqu'un d'autre, pour se raccrocher à la vie… se libérer…

L'âme de quelqu'un d'autre.
Se raccrocher à la vie.

J'ai touché mon cou, mon collier.

– Oui, il faut que tu aies l'âme de quelqu'un d'autre pour que ça marche, et si personne ne te l'accorde, tu dois la prendre de force... la voler... Je suis désolée... je voulais juste me donner une seconde chance, être quelqu'un d'autre, n'importe qui sauf moi...

Je n'y comprenais rien. Comment une fille aussi belle, aussi intelligente avait-elle pu se sentir si seule ? Et le pire, sans que personne ne s'en rende compte ?

– Si j'avais su... Si j'avais pu faire quelque chose pour toi ? ai-je dit en pleurant.

– Mais tu as fait quelque chose...

– Non, je n'ai rien fait.

– J'aurais tout donné pour avoir une sœur, et quand tu m'as trouvée en ville, tu es devenue ma sœur, mon vœu s'est exaucé, rien que pour ça, merci...

Elle a effleuré mon visage.

– Est-ce que tu ferais une dernière chose pour moi ?

– Tout ce que tu veux.

– Alors ne m'oublie pas, a-t-elle dit les yeux brillant de terreur. C'est si facile d'oublier les gens, Brie, ne m'oublie pas.

– Ne dis pas ça, ça va aller, tout va s'arranger.

Sa main est retombée sur le sable. Ses yeux se sont figés.

– Larkin ? Larkin ?

Je l'ai secouée mais elle ne bougeait plus. Je l'ai serrée dans mes bras en sanglotant.

– Pourquoi ? Pourquoi est-ce que tout le monde disparaît ?

Au même instant, j'ai senti une chaleur sur mon cou et j'ai aperçu une petite lueur bleue. C'était mon collier qui brillait dans la nuit. Des éclairs ont zébré le ciel et le vent s'est levé. Toutes les voix autour de moi se sont tues, comme par respect pour les morts. J'ai touché son visage et j'ai posé mes lèvres sur son front.

– Je ne t'oublierai jamais, je te le promets.

Et dans le sable, j'ai tracé son nom.

Larkin Ramsey, mon amie et ma sœur.

J'ai cueilli un chardon sur la plage et je l'ai posé entre ses mains. Je me suis essuyé le visage et j'ai regardé les âmes éparpillées tout autour de moi. Que leur était-il arrivé ? Et j'ai compris. C'était l'amour. C'étaient des âmes mortes d'amour.

N'importe laquelle d'entre elles aurait pu être celle de Patrick. Comment pouvais-je le retrouver ? Impossible d'étudier chaque visage. Et de toute façon, vu l'état dans lequel ils étaient, jamais je ne pourrais le reconnaître. J'ai levé les yeux vers le ciel et j'ai imaginé Larkin s'envoler vers une autre galaxie, renaître ailleurs, être quelqu'un d'autre et tout recommencer. Était-elle déjà parmi les étoiles ? Pouvait-elle me voir ? Tout ce que je souhaitais, c'était qu'elle soit heureuse et enfin libre. Quelque chose m'a picoté au coin de l'œil. J'ai avisé à l'ouest de l'île une falaise qui tombait à pic dans l'océan.

Est-ce toi ? Est-ce bien toi ?

Tu tombes, je tombe, tu te rappelles ?

Et c'est là que je l'ai vu, à la lisière du monde, son visage levé vers le ciel immense.

Chapitre 43

We belong to the light,
we belong to the thunder

J'ai couru sous la pluie, dans les vagues, sur le rivage jonché de morts-vivants. À chacune de mes foulées, d'autres corps s'accrochaient à mes jambes pour me faire tomber parmi eux. Parmi leurs bouches béantes, leurs bras invisibles et leurs innombrables souvenirs. Et je savais qu'en ralentissant, j'irais me confondre avec eux. Je n'arrivais pas à zoomer assez vite pour le rejoindre, comme si l'air me faisait écran. Alors j'ai couru vers la forêt, en me faufilant à travers les buissons où se cachaient les coyotes jusqu'à ce qu'enfin j'aperçoive une route. Le sol était complètement recouvert de feuilles et au-dessus, les arbres se rejoignaient comme pour faire barrage à la lune.

Mais une route, c'est déjà mieux que rien.

J'ai continué ma course en suivant les contours de l'unique montagne de l'île. J'ai fini par atteindre une clairière d'où on avait une vue panoramique sur tout le Pacifique. Et là, devant moi, se tenait un garçon. Son dos était d'une nudité presque translucide qui laissait voir ses os trempés par la pluie. Ses mots résonnaient en moi.

Tu ne sais pas que je t'aime ?

Je le savais puisque moi aussi je l'aimais. Je me suis avancée très doucement pour ne pas l'effrayer.

– Patrick ?

Mais il ne m'entendait pas. L'orage grondait trop fort. Le vent et la pluie me meurtrissaient les épaules mais je me suis encore approchée et, à l'instant où le bout de mes doigts a touché son bras, j'ai ressenti une chaleur intense. Ma main était devenue du même bleu que mon collier, comme si dans mes veines coulait une poussière d'étoiles.

– C'est moi, je suis là, ai-je dit.

– Pourquoi ? a-t-il répondu sèchement. Je ne t'ai pas demandé de venir.

– Patrick, je…

– Va-t'en. Tu n'es pas d'ici.

– Attends, tu ne comprends pas…

– Si. Je n'aurais pas dû t'attendre si longtemps. Ça n'en valait pas la peine.

– Ne dis pas ça, je t'en supplie.

J'ai senti ses épaules tomber.

– Je savais qu'un jour tu franchirais ces portes, a-t-il murmuré, et tu l'as fait. Tu es revenue dans ma vie après trente ans… mais tu ne me connaissais pas. Tu ne me connaissais pas du tout.

– Comment aurais-je pu ? Patrick, je n'étais pas la même fille.

– C'est vrai. Tu n'es pas la même. Je le sais maintenant.

– Tu ne comprends pas. Tu ne m'écoutes pas.

– J'ai été bête de croire que tu pouvais me revenir. Que les choses pouvaient être comme avant entre nous.

Il s'est arrêté pour regarder l'horizon.

– C'est de ma faute. J'ai tout gâché.

– Mais tu ne comprends pas ! Tu n'as rien à te faire pardonner, tu n'as rien fait de mal.

– Si. Tu ne voulais pas faire de moto ce jour-là… Tu avais trop peur… Mais je savais que tu aimerais la sensation alors je t'ai convaincue d'y aller.

Sa voix s'est brisée et il a baissé la tête.

– C'est de ma faute si tu es morte. C'est de ma faute si nous avons été séparés.

– La moto… Mon cauchemar était donc vrai… ai-je dit en appuyant ma tête sur son dos, mes bras serrés autour de son âme chancelante.

– Pourras-tu jamais me pardonner ?

Je l'ai serré de toutes mes forces.

– Ce n'est pas moi qui dois te pardonner. Tu dois te pardonner à toi-même.

Un énorme coup de tonnerre a retenti. Il s'est tourné vers moi, a posé sa main sur ma joue. Et quand j'ai ouvert les yeux, j'ai cru défaillir. Jamais il n'avait retiré son blouson et son t-shirt. De lui, je n'avais jamais rien vu d'autre que sa cicatrice sur son bras qui, au regard du reste, n'était rien. Car tout son torse était lacéré de coups de poignard.

– Oh, mon amour, ai-je dit, qu'est-ce que tu t'es fait subir ?

Tout en pleurant à chaudes larmes, j'ai d'abord caressé chacune de ses horribles cicatrices, puis je les ai embrassées.

– *Sui caedere*, a-t-il répondu. Je ne pouvais pas vivre sans toi.

J'ai approché mon visage du sien et nos fronts se sont rejoints. Mes yeux dans les siens, il n'y avait plus que quelques centimètres entre nous.

– Excuse-moi, Patrick, je ne voulais pas te faire de mal…

Un éclair a déchiré le ciel, embrasant les arbres autour de nous. En quelques secondes, toute l'île a pris feu.

– Tu ne me connaissais pas, a dit Patrick, j'ai voulu te le dire plusieurs fois mais j'avais peur que tu ne me prennes pour un fou. Un fou encore plus fou que ce que tu pensais.

Il m'a souri et, dans ce sourire, j'ai vu défiler toute notre histoire catastrophique, tous les jours que nous avions passés ensemble, les plans que nous avions échafaudés, la façon dont il m'avait bercée juste après l'accident et dont il avait imploré le ciel pour que la mort le prenne à ma place. Tous les souvenirs ont afflué jusqu'aux mots de Patrick quand ma vie avait basculé ce jour de l'été 1983, l'épave de sa moto brûlant à nos côtés.

Attends-moi toujours,
attends-moi éternellement.

Des mots qui ressemblaient à la promesse que j'avais faite à mes amies, Sadie, Tess et Emma dans mon autre vie pour qu'elles surmontent la peine et le chagrin. J'ai senti mon collier brûler dans mon cou, comme chaque fois que je pensais à elles mais cette fois, je n'avais pas mal. Cette fois, le souvenir me rendait heureuse.

– Est-ce vraiment toi ? a dit Patrick en me serrant contre lui. Je n'aurais jamais cru que tu te souviendrais.

La guerre est douce
à ceux qui ne se sont jamais battus.

– Tu vois, je me souviens, et je n'oublierai plus jamais.

365

Et le mur de béton qui s'était érigé en moi s'est mis à se fissurer enfin. Tout ce qui en moi s'était comme gelé commençait à fondre.

– On peut peut-être tout recommencer, ai-je dit en lui tendant la main. Je m'appelle Brie.

Il a ri et m'a serré la main.

– Moi, c'est Patrick.

– Enchantée.

– Et moi donc.

Je me suis penchée vers lui pour lui donner le plus beau baiser de tous les temps, mais à l'instant où nos lèvres se sont touchées, un nouvel éclair s'est abattu entre nous. J'ai cherché sa main mais c'était trop tard. Patrick avait été projeté en arrière, sur le bord de la falaise.

Non !

Je me suis précipitée vers lui. Il était sur le point de tomber, ne se retenant que d'une main.

Patrick !

Les flammes gagnaient du terrain malgré la pluie épaisse et embrasaient les centaines d'âmes perdues qui se tordaient dans l'agonie.

Larkin ! Larkin est parmi elles !

Les pieds de Patrick commençaient à prendre feu. La souffrance déformait son visage. J'ai réussi à attraper sa main.

– Je ne peux pas, Brie ! Je vais tomber !

Sentant ses doigts glisser entre les miens, j'ai mobilisé tout ce qui me restait de forces pour ne pas les lâcher et j'ai réussi à hisser la moitié de son corps. Dans un dernier geste, je l'ai tiré par le bras jusqu'à le ramener sur le sol où nous nous sommes effondrés ensemble. Nous n'avions plus aucun souffle et la pluie glaciale nous cisaillait la peau.

– Si tu voulais sortir avec moi, a dit Patrick en toussant, il suffisait de demander.

– Je m'en souviendrai pour la prochaine fois.

Il s'est redressé et j'ai enfin pu voir son épaule. Il avait gravé sur la peau le même symbole que Larkin, un petit cercle avec un X au milieu. Je me suis souvenue de notre première rencontre.

Je m'appelle Patrick… âme errante en résidence.

– Tu fais partie des leurs, ai-je dit tristement.

– Oui et si c'était à refaire, je recommencerais.

Alors c'était vrai. Il avait bien vendu son âme. Et il l'avait fait pour moi. Mais je comprenais aussi que du coup il était coincé et éternellement prisonnier du grand Au-delà. Il ne pourrait jamais en sortir, jamais accepter et jamais trouver la paix.

Il a baissé la tête.

– Je n'avais pas le choix, trésor, ta vie venait à peine de commencer. Tu méritais une seconde chance.

Il s'est penché pour me caresser les cheveux que la pluie avait collés à mon visage.

– C'était ma seule façon de rattraper les choses, Lily. Tu ne voulais pas monter sur cette maudite moto.

Les flammes se rapprochaient et qu'on y brûle ou non, de toute façon, nous étions en enfer. En regardant Patrick, je comprenais pourquoi j'avais, dès le premier instant dans la pizzeria, eu ce sentiment de déjà-vu. Pourquoi sa voix me disait quelque chose. Ça n'avait finalement rien à voir avec *Top Gun* parce qu'il avait toujours fait partie et de ma vie et de ma mort. Et brusquement, j'ai su ce que je devais faire. J'ai arraché mon collier et je l'ai brandi vers le ciel. C'était à mon tour de faire un sacrifice. Il avait renoncé à tout pour moi et je devais faire de même.

Parce que l'amour en vaut la peine.

– Mon cœur est à toi, lui ai-je dit. Il a toujours été à toi.

– Attends ! a-t-il crié en me retenant par la main. Non, trésor, non !

Un jet de chaleur s'est déversé sur nous, à l'endroit même où se trouvait le pendentif, nous envoyant une décharge électrique d'un milliard de volts. Les bras de Patrick se sont relâchés, me laissant une fois de plus retomber à travers le temps, l'espace, les étoiles et le ciel. Je tombais tellement que je ne m'en rendais même plus compte. Et toute la baie de San Francisco, ciel et enfer confondus, s'est embrasée.

Chapitre 44

Somewhere over the rainbow

Je me suis relevée en suffoquant. Tout était silence à l'exception du ventilateur qui tournait au plafond, avec sa petite chaîne en or qui cliquetait régulièrement. Je suis retombée sur mon oreiller en ayant mal partout mais j'étais si heureuse d'être saine et sauve que je me suis roulée en boule sous mon édredon en plumes d'oie. Mon estomac criait famine et une bonne odeur de cuisine montait dans l'escalier.

Miam, les meilleures lasagnes du monde.

Je me suis frotté les yeux en bâillant puis j'ai aperçu la lumière du soir briller à travers mes rideaux en lin blanc. Pas d'orage. Pas de pluie. Ni tonnerre, ni éclairs, ni île en flammes. Il n'y avait autour de moi que mes draps douillets et mon oreiller moelleux. Tout était doux comme de la soie sur ma peau. Mes draps. Mon lit. Mon merveilleux lit à moi.

Hum, debout.

Je me suis redressée si vite que j'en ai eu le tournis. Mes sens étaient aux aguets, mon pouls battait la chamade et mon cœur...

Attends.

J'ai mis ma main sur ma poitrine et j'ai appuyé. Il était là. Tout chaud, avec ses boum-boum réguliers. J'avais un cœur et il battait ! Avant que je comprenne ce qui m'arrivait, j'ai entendu une voix familière qui m'appelait dans l'escalier.

– Brie ? Ma chérie ? Tu peux venir vider le lave-vaisselle, s'il te plaît ?

Maman ?

J'ai sauté hors du lit en chemise de nuit et j'ai foncé sur le palier. Tout était exactement comme avant. Le bruit feutré de mes pieds sur la moquette. La lumière tamisée de la lampe d'antiquaire que nous avaient donnée mes grands-parents. Les photos encadrées dans le couloir. Jack, le jour de ses six ans, moi, le jour de mes douze ans. Maman et papa pendant leur lune de miel. Salami quand il était petit. Les craquements du bois et les serviettes blanches que j'entrevoyais dans la salle de bains. Tout était exactement à sa place.

J'ai dévalé les marches en sautant les deux dernières comme je le faisais toujours. Un bouquet de marguerites trônait au milieu de la table, dans l'horrible vase vert que j'avais fait à l'école primaire. Les lunettes de soleil de papa traînaient sur le guéridon de l'entrée. Je reconnaissais l'odeur des lilas et de la lessive que j'aimais par-dessus tout. Et la voix de Paul Simon qui chantait.

Hearts and bones, la chanson favorite de maman.

J'entendais les griffes de Salami qui grattaient sur le sol de la cuisine pour accourir vers moi et en une seconde, il était blotti contre moi, me couvrant de tellement de baisers que j'ai cru mourir de bonheur.

– Salamiiii !

Il jappait et aboyait comme s'il ne m'avait pas vue depuis très très longtemps. Et pour cause.

– Qu'est-ce qu'il a ? a ronchonné Jack en venant s'asseoir sur le canapé sans quitter des yeux sa DS.

Ô Jack !

Mes yeux se sont remplis de larmes en repensant au petit Sam, à ses taches de rousseur. Lui à qui manquait si cruellement son grand frère. Je me suis ruée sur Jack en l'étouffant de baisers et de câlins. Il a éclaté de rire et on a roulé tous les deux sur la moquette.

– Brie et Jack Eagan, ça suffit ! s'est esclaffée maman en sortant de la cuisine avec un torchon à la main.

Elle avait ses beaux cheveux bruns, ses drôles de lunettes que j'aimais tant, ses belles pommettes et ses yeux vert pâle. Elle était si jolie. Je me suis jetée dans ses bras.

– Brie ! s'est-elle écriée en manquant de tomber à la renverse. Ma chérie ? Tu vas bien ?

Elle m'a touché le front pour voir si je n'avais pas la fièvre. Je ne pouvais qu'acquiescer tellement je pleurais. Elle s'est écartée et a pris ma tête entre ses mains.

– Oh, ma chérie, pourquoi pleures-tu ?

Est-ce bien toi ? Est-ce vraiment toi ?

– Désolée, mais tu m'as tellement manqué, ai-je dit, la voix étranglée, en me serrant plus fort contre elle pour ne plus jamais la perdre.

– Je t'ai manqué ? Depuis quand ? Depuis une demi-heure ? a-t-elle dit en riant puis en redevenant sérieuse. Ma chérie, j'espère vraiment que tu ne couves pas quelque chose ?

J'ai fait signe que non.

– C'est ce que tu vas porter ce soir ? a-t-elle murmuré, la bouche dans mes cheveux.

– Ce soir ? Pourquoi ?

– Wouah… Tu es vraiment bizarre ! Tu ne te souviens pas que tu as rendez-vous avec un certain garçon ?

Quel garçon ?

Maman a désigné la pendule de la cuisine.

– Ma chérie, Jacob n'est-il pas censé venir te chercher à huit heures ?

Je me suis écartée en pâlissant.

– Quel jour sommes-nous ?

Cette fois, j'avais vraiment l'air bizarre.

– Le 4 octobre, a-t-elle dit en se croisant les bras.
Bon, tu m'inquiètes vraiment, qu'est-ce qui se
passe ?

J'ai couru vers le comptoir de la cuisine et j'ai
attrapé le journal. Il était bien daté du 4 octobre.
Une immense terreur m'a noué la gorge.

4 octobre 2010.

L'année dernière. Et puis j'ai compris.

Je suis en train de la revivre,
la nuit où je suis morte.

J'ai reposé le journal en reculant doucement.

– Je ne me sens pas très bien.

– Ça se voit, a dit maman en repliant le journal. Je
vais m'occuper de toi mais tu devrais appeler Jacob
pour annuler.

Jacob.

– Il est vivant ? ai-je murmuré.

Elle m'a lancé un regard noir.

– Brie, ce n'est pas drôle. On ne plaisante pas avec ça, a-t-elle ajouté en sortant les couverts en argent du lave-vaisselle. Mais j'aimerais bien que tu m'aides à ranger la cuisine tout à l'heure, d'accord ?

Elle a commencé à ordonner les couverts dans le tiroir.

– Et n'oublie pas, papa et moi, on veut que tu sois rentrée à onze heures au plus tard. Je suis sérieuse. Si tu as du retard, tu dois nous prévenir.

– Mais je ne…

– Pas de mais, a-t-elle tranché, si on t'a acheté un téléphone portable, c'est pour cette raison, pas pour envoyer des textos à Sadie et à toutes tes copines pendant les cours. Tu appelles si tu es en retard, c'est clair ? Mais je te conseille de ne pas l'être.

Jack est entré dans la cuisine avec Salami à ses trousses. Il a pris une cannette de jus d'orange dans le frigo mais je la lui ai arrachée.

– Miam ! Dieu que c'est bon !

– Hé ! a crié Jack. Maman !

– Brie, arrête d'embêter ton frère ! Y en a tout un stock, prends-en une, ma chérie !

J'ai rendu la cannette à mon frère.

– Désolée, mon petit gars, mais je n'ai pas pu résister.

Au même instant, j'ai entendu la porte du garage s'ouvrir et le bruit d'un moteur qui tournait.

– Hé fiston ! Qu'est-ce que je t'ai dit hier ?

C'était papa qui portait des sacs de courses sans avoir eu le temps de retirer sa blouse blanche. Salami s'est jeté à ses pieds.

– Quoi ? a dit Jack en vidant sa cannette.

– Ton vélo ?

Jack a réfléchi puis s'est mis à sourire d'une façon adorable.

– Zut, j'ai oublié ! a-t-il lancé en sortant ranger son vélo dans le garage.

– Bonne journée, chéri ? a demandé maman en embrassant papa sur la bouche et en lui retirant les sacs de courses. Merci d'être passé au supermarché. Tu as pensé à mes aubergines ?

– Hmm, a-t-il dit distraitement en feuilletant le courrier.

Papa.

Je l'ai regardé fixement. Il était redevenu lui-même. Il était beau avec ses cheveux courts et son visage bien rasé. Je n'avais qu'une envie, c'était de courir dans ses bras, c'était mon papa après tout, mais quelque chose m'en empêchait. Alors je me suis hissée sur le comptoir en balançant mes pieds contre les portes du placard pour attirer son attention. Nos yeux se sont croisés. Il m'a souri puis s'est approché pour m'embrasser sur le front.

– 'soir, miss Mozzarella.

Je me suis écartée.

Bien tenté.

Mon attitude l'a refroidi.

– Qu'est-ce que tu as ? a-t-il dit en regardant maman. Un problème de cœur ?

Ne me parle surtout pas de ça.
Tu es vraiment mal placé.

Maman a secoué la tête en rangeant le frigo.

– Je ne sais pas, chéri, mais elle est très bizarre ce soir.

Mon numéro d'adolescente rebelle était parfait. Je regardais papa en lui en voulant de ce qu'il allait faire à notre famille. Et puis, la porte a sonné. Je me suis figée. Maman est allée ouvrir.

Non, s'il te plaît, n'ouvre pas.

– J'y vais ! a lancé Jack en bondissant vers l'entrée. Cheddar ! C'est Jacooob !

– Je crois que je ne vais pas y aller, ai-je marmonné. J'ai trop de… trop de boulot.

Papa et maman m'ont regardée comme si je m'étais transformée en cyclope.

– Mais chérie, ça fait des jours que tu ne penses qu'à cette soirée ? a dit maman. Tu vas t'amuser.

Euh, non, pas exactement.

Mes bras et mes jambes se sont mis à bouger comme actionnés par une télécommande que je ne contrôlais pas. J'ai sauté du comptoir, j'ai traversé le salon et je suis allée vers l'entrée. Je reconnaissais sa silhouette à travers les rideaux de lin. Il était debout, devant le porche. On voyait qu'il était mal à l'aise, comme s'il n'avait pas envie de venir à ce rendez-vous. Comment lui en vouloir ? Mais ma main avait déjà saisi le bouton de la porte.

Arrête.

L'a fait tourner.

Pitié, non. Je ne veux pas y aller.

Et quand j'ai fini par ouvrir, malgré toutes mes réticences, j'en ai eu le souffle coupé. Ses yeux étaient comme l'océan, avant la tempête.

Chapitre 45

How to save a life

On a roulé vers le restaurant sans se dire un mot. C'était si irréel que je devais me pincer pour me dire que c'était vrai.

Je suis dans sa voiture.

Pincement.

Dans sa voiture à lui.

Pincement.

Il est là, je suis là. Nous sommes tous les deux dans sa voiture.

Re-pincement.

– Aïe ! ai-je lâché parce que je m'étais pincée trop fort.

Jacob m'a regardée du coin de l'œil.

– Ça va ?

– Oui, oui, ça va très bien !

Sauf que je mentais. J'avais les paumes moites. Mon cœur battait à deux cents à l'heure. Mes pieds frappaient le sol et je devais certainement loucher.

– Tu es sûre ? Tu as l'air bizarre.

Il s'est éclairci la gorge en me jetant d'autres regards en coin tout en roulant vers Pasta Moon. J'ai essayé de me calmer. Je savais ce qui allait se passer et j'avais peur.

Ma seule chance. Mon unique chance.
Et si je ne dis pas ce qu'il faut ?
Et s'il ne veut pas l'entendre de ma bouche ?

Je l'ai observé en remarquant tous les détails qui m'avaient échappé jusque-là. Comme sa manie de se racler la gorge. De jouer sans arrêt avec les boutons de l'autoradio. De ne pas réussir à me regarder dans les yeux. On s'est finalement garés sur le parking et on a marché jusqu'au restaurant. Il ne m'a pas pris la main. L'hôtesse nous a conduits à notre table. Je me suis assise à l'endroit habituel, dans le coin d'où on avait une vue d'ensemble sur tout le restaurant. On a commandé des boissons et des entrées, des calamars frits et des bâtons de mozzarella, mais je n'avais pas faim. Lui non plus.

Jacob était plus fébrile que jamais. Il faisait maladresse sur maladresse, s'arrosant de vinaigre balsamique et de mayonnaise. Quand nos plats sont arrivés, je l'ai vu tripatouiller ses pâtes aux crevettes pendant dix minutes avant qu'il ne se décide à me parler.

– Brie ?

On y était.

– Oui ?

– Je dois te dire quelque chose.

Je le regardais sans un mot. Sa voix tremblait, ses yeux étaient paniqués. En revoyant cette scène, il était évident qu'il avait peur de me blesser. Mais dans sa peur, quelque chose de nouveau affleurait. En le voyant manger ses pâtes nerveusement, je me demandais si Sadie savait déjà ce qu'il avait à me dire. J'étais sûre que oui. Et franchement, c'était encore plus blessant de me dire que Jacob n'avait pas pu se confier à moi. Tout ça parce que mon crétin de cœur s'était mis en travers de ce qu'il avait à me dire. Enfin, ce soir-là, il ne s'agissait pas de moi mais de lui. Et cette fois, j'allais vraiment l'écouter.

Qui sait si j'aurais pu dire ou faire quoi que ce soit pour changer le cours des choses ? Larkin, par exemple, n'y était pas parvenue. Ni Patrick. Mais je devais quand même essayer. J'ai posé ma main sur la sienne.

– Que se passe-t-il ? ai-je demandé calmement.

Il m'a jeté un regard penaud. Sa main était froide sous mes doigts. Mais c'était comme si je voyais les mots se former dans l'air.

– Euh… que veux-tu dire ?

Je l'ai fixé d'un air concentré, en essayant de lui faire comprendre que tout irait bien, qu'il pouvait parler en toute sécurité.

C'est bon, tu peux me le dire.

Il est resté silencieux mais il rougissait et ses mains commençaient à trembler.

– Brie ?

– Jacob ?

Ça y est, ça vient.

– Je ne t'aime pas.

J'ai fermé les yeux, histoire d'ingérer les mots. Ils me faisaient mal mais pas de la façon dont je me souvenais. C'était plus une souffrance aigre, amère, qu'un coup de poignard en plein cœur. Je me suis détendue en pensant que le monde ne s'écroulait pas pour autant. J'ai rouvert les yeux.

– Enfin, si, je t'aime, vraiment beaucoup… mais pas comme tu penses. En fait, ce que j'essaie de te dire, a-t-il précisé en regardant son assiette, c'est que je ne suis pas amoureux de toi.

J'ai repris mon souffle en veillant à ne pas déformer ses paroles. Comme je l'avais fait la première fois.

– Je sais, Jacob, c'est bon, moi non plus, je ne suis pas amoureuse de toi.

– Quoi ?

– Tu as entendu. Moi non plus je ne suis pas amoureuse de toi.

– Je ne comprends pas, a-t-il dit comme si je m'étais mise à parler japonais. Il y a quelqu'un d'autre ?

– Ouais, ai-je répondu en souriant. C'est ça.

Il a baissé les yeux.

– Hé, ça va ? ai-je dit en prenant son menton dans ma main.

On s'est regardés et j'ai vu qu'il était au bord des larmes.

– Je suis désolé, j'ai tout gâché.

– Mais non !

– Je suis une mauvaise personne.

– Mais non !

– Tu ne peux pas comprendre.

– Mais si ! ai-je insisté en serrant sa main. Tu peux tout me dire. Je suis ton amie. Je serai toujours ton amie.

Il a reniflé en s'essuyant le visage avec sa serviette.

– Je ne sais pas comment le dire.

– Si tu n'as pas envie de me le dire…

Il a regardé ses chaussures sous la table comme pour y puiser du courage.

– Je crois que… je crois que je suis gay.

Et j'ai fait quelque chose que j'aurais dû faire il y a bien longtemps. Je me suis levée pour venir m'asseoir près de lui en lui entourant les épaules.

– Je suis contente que tu me l'aies dit.

Il n'en revenait pas. Il avait l'air de n'y rien comprendre.

– C'est vrai ? C'est vraiment vrai ?

– Vraiment.

– Alors tu ne me hais pas ?

– Euh... non... enfin si, juste un peu, ai-je dit en prenant une voix faussement hostile.

Il s'est assombri en se tortillant sur sa chaise.

– C'est normal, je...

J'ai attrapé son bras en souriant.

– Y a de quoi ! Tu viens de finir tes pâtes sans même me proposer d'y goûter !

Il a regardé son assiette vide puis a éclaté de rire.

– C'est bon, tu m'as bien eu !

– Bon, maintenant tu me paies une glace et on est quitte.

Ses yeux bleus ont croisé les miens d'un air plein de reconnaissance et de soulagement.

– Merci, Brie.

Il s'est penché pour m'embrasser sur la joue.

– J'avais tellement peur de te le dire. J'étais sûr que tu ne voudrais plus jamais me parler. Que tu me haïrais jusqu'à la fin des temps.

– Impossible.

Il a souri en prenant ma main.

– Tu es vraiment la meilleure amie du monde.

– Non, ai-je répondu en me souvenant de Patrick. Pas du tout.

Une douleur a déchiré ma poitrine et je me suis affaissée sur ma chaise.

Attends. Non. Que se passe-t-il ?
Ce n'est pas censé se passer.

Mon cœur battait à toute vitesse.

Mais je me suis rattrapée.
J'ai fait les choses différemment !

– Brie ? a dit Jacob d'une voix inquiète. Qu'est-ce que tu as ? Ça va ?

La douleur s'intensifiait et m'empêchait de parler. Tout s'est mis à devenir flou et à tourner autour de moi. J'entendais l'écho de voix étranges, comme sur la plage d'Angel Island. Les mains de Jacob me secouaient aux épaules.

– Brie ? Dis-moi ce que je dois faire ! Nom de Dieu, dis-moi !

– Reste toi-même, ai-je murmuré en serrant ses doigts, reste toi-même.

Une nouvelle vague de douleur m'a saisie tandis que le visage de Patrick m'apparaissait.

Tu ne sais pas que je t'aime ? Tu ne sais pas que je t'ai toujours aimée ?

En un instant, le silence s'est abattu. J'ai ouvert les yeux. Il n'y avait plus de restaurant.

Je me retrouvais dans une prairie tout près de l'autoroute donnant sur l'océan qui scintillait. Le soleil brillait et le ciel était plus bleu que jamais, deux ou trois nuages stationnant à l'horizon.

Un beau jour d'été.

Mais…

Étais-je de retour dans mon coin de paradis ? Certainement. Un jour aussi parfait n'existait pas dans la vie réelle.

– Trésor ? a dit une voix derrière moi. Ton carrosse t'attend.

En me retournant, j'ai vu un garçon assis sur une moto. Je le reconnaissais à ses beaux cheveux châtains, à son t-shirt gris délavé et à son blouson de cuir si moelleux.

– *Highway to hell !* chantait Patrick en grattant une guitare électrique imaginaire.

Il a fait vrombir le moteur duquel est sortie une grosse fumée noire.

– Zut ! a-t-il dit en toussant. Ça, ce n'était pas prévu !

J'ai éclaté de rire.

– Tu ne crois quand même pas que je vais monter sur ce truc !

– Allez, p'tite Lily, juste un tour, tu vas adorer ça !

P'tite Lily.

Il a souri de ce sourire qui me faisait fondre.

– Non, non et non, pas question ! Je ne monterai pas sur cet engin mortel !

– Allez ! Juste un tour et je t'offre un milk-shake.

– Tu veux me soudoyer ? Eh bien, ça ne marche pas.

– Alors une glace ?

Et j'ai craqué en courant dans ses bras. J'ai regardé ses yeux plus verts que marron et je l'ai embrassé sur le nez.

– Bon, d'accord, mais juste un tour ?

– Tu ne le regretteras pas, trésor.

Il m'a tendu un casque noir et je me suis assise derrière lui en me serrant très fort.

– Tu as intérêt à y aller doucement, Patrick Chérit, sinon…

– Sinon quoi ?

– Sinon je te largue pour un autre.

Il s'est retourné en m'adressant un sourire de velours.

– Désolé, trésor, mais je ne te lâcherai pas comme ça.

Il a démarré la moto qui s'est mise à bouger comme un animal vivant.

– Doucement ! Je ne rigole pas !

Malgré la vitesse, je me détendais. Mes épaules se décontractaient et j'ai fermé les yeux en rêvant que nous volions. Le soleil et l'air de l'océan me grisaient. J'ai embrassé Patrick entre les deux omoplates en me disant que j'étais la fille la plus heureuse du monde. Parce que de fait, c'était vrai. J'avais le meilleur des deux mondes. J'étais revenue pour réparer les choses avec Jacob et là, j'étais redevenue la fille que j'étais, aux côtés du garçon que j'aimais.

Le soleil. L'air de l'océan. La route qui longeait la mer pendant des kilomètres. Le bruit de l'orage qui venait du nord.

Attends, attends.

Mes yeux se sont rouverts.

Pitié, pas d'orage.

Mais les nuages étaient bien là, arrivant de la montagne, dardant sur nous leur couleur grise et menaçante. Comme dans mon cauchemar.

Non, pitié, non.

Et la vérité a fondu sur moi comme une pluie de métal. J'avais été bête de penser que je m'en sortirais en ne revivant qu'une seule mort. Parce que j'avais vécu deux fois.

– Patrick ! ai-je crié dans le vent. Fais demi-tour, on doit rentrer !

– Quoi ? Je n'entends rien ! a-t-il répondu en se retournant une fraction de seconde.

Une fraction de seconde qui a suffi pour que j'entende le cri d'un klaxon et le crissement des pneus du camion qui nous fonçait dessus. Mon sang s'est durci dans mes veines. Une explosion de verre et de métal chaud m'a propulsée dans l'air en mettant le feu au carburant, à mes cheveux et à mes rêves.

– Trésor, l'ai-je entendu dire comme s'il était à des kilomètres de moi, où es-tu ?

Tout en sentant les flammes descendre au fond de ma gorge, j'ai repensé à la liste de mots de Patrick, et notamment au tout dernier :

ACCEPTATION

J'ai vu le visage de Larkin apparaître dans le clair de lune, à quelques centimètres de moi.

« ... tout redeviendra cendres... »

Pitié.

« ... tout redeviendra poussière... »

Pitié, arrêtez.

« … qu'elle soit en paix… »
Et j'ai vu un éclair foudroyer la seule chose qu'il
me restait. Mon cœur.

Mon âme.

Je n'étais plus qu'un mur de flammes mais j'im-
plorais pour que ça cesse. Quand soudain, j'ai
entendu une sirène gémir de plus en plus fort
jusqu'à faire exploser mes tympans. Et des mains
ont attrapé les miennes, comme une chaloupe dans
cette tempête de feu. Des mains chaudes et rassu-
rantes. J'ai ouvert les yeux.

Papa.

Il pleurait.
– Ça va aller, mon bébé, ça va aller.
L'ambulance hurlait à travers les rues de San
Francisco. Les yeux de papa étaient paniqués et la
voix de l'ambulancier tremblait sous l'urgence tan-
dis qu'il communiquait avec l'hôpital.

Fille. Quinze ans. Cardiopathie sévère.

– Papa ?
– Je suis là, Brie. Je reste avec toi.

Je lui en voulais tellement. L'idée qu'il délaisse notre famille m'avait aussi brisé le cœur. Je pensais à maman, à Jack, à moi et à Salami, à tout ce que nous avions été et à ce qu'on allait devenir. Mais en le regardant dans l'ambulance, je comprenais mieux ce qu'il avait fait. Je ne l'approuvais pas mais grâce à Larkin, je comprenais.

Parfois on préfère oublier.

En voyant mon père comme ça, sa peine, son amour pour moi, je lui pardonnais. Je lui pardonnais de n'être pas parfait.

Parce qu'à vrai dire, qui l'est ?

Et si moi je méritais une seconde chance, pourquoi pas lui ? J'ai serré sa main très fort et j'ai senti une larme rouler jusqu'à ma clavicule. Et tout en percevant que le moniteur qui enregistrait les battements de mon cœur ralentissait, j'ai fixé mon père dans les yeux en faisant un dernier vœu. Un vœu qui ne changerait rien à rien mais je n'étais plus à ça près.

« Prenez soin l'un de l'autre. »

Et j'ai quitté ce monde.

Sixième partie

Acceptation

Chapitre 46

All you need is love

J'ai longtemps marché dans la nuit, le brouillard, sous la pluie et les étoiles avant de rejoindre la maison. 11 Magellan Avenue.

Il me restait une dernière chose à faire. J'ai remonté lentement la côte, en passant devant les bégonias jaunes et blancs, la haie où papa nous avait montré une fois un nid de geais bleus, et le chêne sur lequel Jacob avait gravé nos initiales avec son couteau suisse.

$$JF+BE = \heartsuit$$

Et un à un, comme des lumières scintillant dans la nuit, tous mes fantômes sont entrés en scène. J'ai vu Jack sur le tricycle que mamie et papy lui avaient offert pour son anniversaire. Moi, à treize ans, en train de m'entraîner aux dérapages en patins à roulettes. Emma, Tess et Sadie battant des records de houla-hoop. Papa en train de laver sa voiture, maman se débattant avec le tuyau d'arrosage tout en allant chercher le courrier, tous les deux trempés jusqu'aux os mais hilares, heureux. Le soleil de Californie qui perçait à travers les nuages du nord. Salami qui courait après le tuyau en aboyant et en le mordant à pleines dents. Tous mes souvenirs étaient là, clairs, vivants, tourbillonnant autour de moi. Mon passé, mon présent, mon avenir, mon éternité.

En me retournant, j'ai vu Patrick qui me regardait depuis le bord de la pelouse. Mon estomac a fait un triple saut quand il s'est avancé vers moi.

– Comment ? ai-je bredouillé. Comment es-tu arrivé là ?

– Disons que Madame Mots Croisés me devait bien ça vu que ça fait des lustres que je l'aide à remplir ses grilles, a-t-il répondu avec malice. Enfin, elle m'a quand même redit d'utiliser un crayon à papier mais peu importe.

Je n'en croyais pas mes oreilles. Est-ce qu'il était enfin libre ? Totalement libre ?

– Tu veux dire qu'elle t'a accordé le pardon ultime ? Elle en a le pouvoir ?

– Mais non, a-t-il dit, je plaisantais. Madame Mots Croisés n'y est pour rien. C'est toi.

J'ai senti mes joues virer au violet. Patrick m'a prise par le menton. Nos yeux se sont croisés.

– Disons que de temps en temps, l'univers sait reconnaître les bonnes choses ou que nos deux karmas catastrophiques ont fini par s'annuler l'un l'autre.

– Je préfère la première hypothèse, ai-je dit en riant.

– Va pour la première hypothèse alors ! s'est-il écrié joyeusement.

Il s'est approché de moi et m'a embrassée. Wouah !

Il faudra absolument que je me repasse cette scène.

Puis j'ai entendu Patrick souffler dans mon esprit : C'est si bon. Avant de m'embrasser une deuxième fois.

– Hé ! Tu m'embrasses mais ne va pas farfouiller dans ma tête !

– Tu parles, p'tite Lily, avec l'esprit que tu as, c'est impossible !

Et de nouveau, il m'a serrée contre lui sans que je cherche à me dégager.

Après une longue série d'instants fabuleux, je devais quand même affronter mes fantômes. Je savais qu'il les voyait, qu'il les comprenait. Il m'a approuvée d'un signe de tête.

– Prends tout ton temps. Je t'attends ici.

– Non, viens avec moi.

On a monté les marches du porche puis on s'est arrêtés devant la porte. C'était étrange. J'avais été enfermée à l'extérieur si longtemps que je ne savais plus à quoi m'attendre. J'ai respiré profondément et j'ai tendu la main vers le bouton de la porte qui, cette fois, a tourné normalement sous mes doigts. La maison était calme. On était tôt le matin.

On a traversé le salon et on est montés à l'étage. La porte de la chambre de mes parents était entrouverte. J'ai passé une tête et j'ai aperçu trois paires de pieds (enfin plutôt quatre si on compte Salami) qui sortaient de la couette blanche où je m'étais lovée si souvent. Et c'est en voyant à qui étaient ces pieds que j'ai senti mes larmes monter en flèche.

Maman.

Jack.

Et papa.

– Il est là, ai-je dit dans un murmure. Il est là où il doit être.

Mon vœu s'était donc réalisé et ça changeait tout. Je me suis penchée vers lui pour l'embrasser puis je suis allée du côté de maman.

Ô maman !

Elle était si belle, avec ses lunettes qu'elle oubliait toujours d'enlever avant de s'endormir. Je me suis appliquée pour les lui retirer sans faire de bruit. Elle a remué doucement quand je les ai posées sur sa table de nuit, sans pour autant retirer son bras des épaules de Jack qui dormait dans son pyjama Batman, celui que je lui avais offert pour son dernier Noël. Il était devenu trop petit pour lui. Ça m'a rappelé Alice quand elle mange son drôle de champignon.

Mon frère ne m'avait peut-être pas complètement oubliée. Il avait beau avoir grandi sans moi, dans cette famille où je n'existais plus, il portait toujours son pyjama. (Il faudrait que je lui en fasse envoyer un autre pour le prochain Noël, quoi qu'il arrive.)

J'ai chatouillé la patte avant de Salami. Ses oreilles se sont dressées et il s'est tourné sur le ventre en ronflant. J'espérais qu'il était en train de rêver de moi. En voyant sa poitrine se soulever calmement dans le sommeil, j'ai éprouvé une sensation de paix. D'une certaine façon, j'avais contribué à réécrire l'histoire de ma famille. J'avais disparu mais papa avait trouvé un autre moyen de lutter contre son chagrin, un moyen qui ne passait pas par une autre femme.

Tout irait bien pour eux. Pour nous.

– Tiens, m'a dit Patrick en me rendant mon collier qui brillait comme au premier jour malgré tout ce qu'il avait traversé. Pourquoi ne le leur laisses-tu pas ?

Je ne comprenais pas. J'avais échangé mon collier contre sa liberté, pour qu'il s'en sorte enfin alors pourquoi me le rendre ?

– Mais il est à toi, je te l'ai donné.

– Je n'en ai plus besoin, a-t-il répondu en posant sa main sur mon cœur. J'ai enfin ce que je voulais.

J'ai rougi pour la quatre-vingtième fois en caressant mon cœur doré du bout des doigts. Il était chaud, tout doux. Je l'ai embrassé puis je l'ai posé sur la commode en acajou de mes parents, à côté de notre photo de famille. Ils sauraient certainement que ça venait de moi. Mais avant de quitter la chambre, mes yeux ont accroché quelque chose. Une photo en noir et blanc que je n'avais jamais vue.

Attends un peu, c'est impossible ?

J'y ai reconnu Emma, Tess et Sadie en train de sourire dans leurs belles robes sous une banderole décorée de petits fromages dessinés à la main :

Lycée PCH promotion 2011
À la mémoire de Brie Eagan
(Brie, on t'aime !)

Je me suis tournée vers Patrick en lui tendant la photo.

– Regarde, mes copines ont organisé une soirée fromages en mon honneur !

On a éclaté de rire. On ne pouvait pas imaginer de thème plus ridicule. Patrick a désigné la photo.

– Ben dis donc, le veinard !

– Quoi ? Le veinard ? ai-je dit en lui reprenant la photo pour la voir de plus près.

Je me suis pincée deux fois pour vérifier que je n'étais pas en train de somnoler sur ma banquette du Coin mais j'ai bien senti que ça faisait mal et que donc, j'étais bien réveillée. J'étais bien dans la chambre de mes parents, devant la plus belle photo de tous les temps.

À votre avis pourquoi ?

Parce que juste derrière mes copines, tout sourire, il y avait Jacob ! Comment avais-je pu ne pas le voir ?

En smoking ! Il porte un smoking !

Mes yeux se sont remplis de larmes de joie.

– Quel jour sommes-nous ? Quel mois ?

Patrick a jeté un œil à l'iPad sur la table de nuit de papa.

– Juin. Le 12 juin.

LE 12 JUIN !

J'ai regardé la photo encore une fois, de peur d'halluciner mais non, c'était lui, c'était bien lui.

Mon premier amour en train de sourire. L'air heureux et surtout, l'air vivant ! J'avais la preuve qui me manquait. L'année avait filé et Jacob était toujours là. Je me suis jetée dans les bras de Patrick. Son blouson sentait bon le cuir et tout allait pour le mieux dans le meilleur des mondes.

Il m'a embrassée sur le front en disant :

– *Ecce potestas casei*. Le pouvoir du fromage.

On est restés là à regarder ma famille dormir encore un moment puis on est sortis en refermant la porte derrière nous. Je suis passée dans la salle de bains puis dans la chambre de Jack. Il ne me restait plus qu'une pièce à aller voir. Une pièce au bout du couloir et dont la porte était fermée.

Fermée pour travaux, liquidation, vacances éternelles.

Mais je suis là désormais.

J'ai ouvert la porte de ma chambre. Un courant d'air glacial m'a aussitôt saisie. L'épaisse moquette rose a couiné sous mes pieds. Ma chambre. Mon lit. Mes fenêtres, mes étagères de livres qui débordaient de tous les côtés, ma couette, la même depuis que j'étais toute petite, et ma petite couverture de bébé, toute jaune et tout usée, qui peluchait de toutes parts.

La chambre était sombre, pleine de poussière et d'un calme effrayant. Un tombeau enfermé dans une nappe de cauchemars, de cœurs brisés et de tristes souvenirs. Personne n'avait dû y mettre les pieds depuis ma mort. Je me suis avancée vers le fauteuil près de la fenêtre, là où je me mettais pour jouer avec Jack à Puissance 4. Les coussins n'avaient pas bougé. Les rideaux et les fenêtres étaient fermés. J'ai voulu ouvrir les fenêtres mais elles étaient bloquées par la rouille. J'ai tiré dessus de toutes mes forces.

Allez, allez.

J'ai tiré encore plus fort.

Ouvrez-vous !

De la sueur perlait sur mon front.

Allez, vas-y.

Un bruit strident a retenti et les fenêtres se sont ouvertes, laissant entrer la douce brise du matin et avec elle, les couleurs, la musique, l'énergie des rires et du pardon. Les murs de ma chambre ont frétillé dans l'air frais qui sentait la vie, la chaleur et l'amour. Quelque chose a palpité. Un cœur battant, qui se souvenait, qui se réveillait.

Je suis tombée sur la moquette en fermant les yeux pour renouer avec mon histoire, avec chaque détail, pour ne plus jamais oublier. Le petit mobile que papa avait installé à ma fenêtre quelques années auparavant. La moquette un peu rugueuse sous mon dos. L'odeur de pomme. Maman disait toujours que ma chambre sentait la pomme.

Soudain un rayon de lumière a filtré. J'ai ouvert les yeux et j'ai vu le soleil danser sur le mur, le cadre doré qui était accroché au-dessus de ma commode. Sous le cadre, j'ai reconnu le poème que papy m'avait écrit pour mon dernier anniversaire, celui de mes quinze ans. Je me suis relevée pour le décrocher. Sur le verre, je voyais mon reflet, mes longs cheveux bruns, mes joues roses, mes yeux verts, mon air plus vieux, plus sage. Je me trouvais belle, moi, qui n'avais jamais cru maman lorsqu'elle me le disait. Si seulement j'avais pu leur dire comme ils comptaient pour moi, comme ils compteraient toujours mais plus que tout, comme j'avais eu de la chance de les avoir. D'avoir vécu, d'avoir aimé, d'avoir été aimée. Que peut-on demander de plus ?

– Trésor ? a dit Patrick.

Il était temps, j'étais enfin prête. Et j'ai senti ma poitrine fondre non pas sous la douleur mais sous une douce chaleur qui cicatrisait les chairs à vif qu'avait laissées mon cœur brisé. Les larmes et le sentiment de trahison qu'avaient éprouvé si injustement Sadie et Jacob. Désormais je le savais.

Acceptation

Je suis tombée à genoux en voyant soudain ma chambre se débarrasser de toute la tristesse. Un tourbillon d'air frais m'a emportée loin, très loin de là. Avec tout autour de moi les échos de la voix de Patrick. Prends ma main. Je l'ai prise. Et avant de quitter la Terre, mes yeux se sont fixés sur les dernières lignes du poème de papy, qui avaient toujours compté pour moi bien que je ne les comprenne pas vraiment. Je les connaissais par cœur mais je les ai relues à haute voix :

Dans la joie ou la détresse
Dans le malheur ou le bonheur
Dans le plaisir ou la douleur :
Fais ce que tu dois faire
et tu seras en paix.
La vie n'offre rien de plus beau
que la paix,
Si ce n'est l'amour.
Que l'amour soit toujours avec toi.

Remerciements

En vrac, je remercie chaleureusement :

Laurie Hornik pour son brio, sa patience, sa gentillesse et la confiance qu'elle a eue en moi et dans cette histoire depuis le premier jour ; Natalie Sousa et Linda McCarthy pour leur splendide couverture ; et tout le club des jeunes lecteurs du Penguin Young Readers pour leur enthousiasme et leur soutien.

Hannah Brown Gordon et Stéphanie Abou de la Foundry Literary+Media, pour les durs efforts qu'elles m'ont consacrés.

Les étudiants et l'université du Vermont College of Fine Arts, notamment Cynthia Leitich Smith, Rita Williams-Garcia, Lindsey Stoddard et la Ligue des Sandwichs au fromage les plus extraordinaires, pour leur amitié et leurs encouragements. (Si vous ne croyez pas en la magie, c'est que vous n'êtes jamais allé à Montpelier, Vermont.)

Tous les Razorbills d'hier et d'aujourd'hui, en particulier Lexa Hillyer, Laura Schechter et Pamela McElroy, pour leurs indéfectibles loyauté, amour et inspiration ; Salami, plus golden retriever que poisson rouge (et Anne Heltzel pour m'avoir autorisée à m'inspirer de son Hamloaf) ; et Ben Schrank pour m'avoir stimulée, parfois même au détriment de ma santé mentale, et rappelé que je devais aller marcher même sous la pluie.

Tous mes fabuleux amis dont je suis si fière ; Janna Wielgorecki, Jesse Lutz et Heather Mithoefer, pour être les sœurs que je n'ai pas eues ; Hannah Spencer et Joyce Tang (les-meilleures-collocs-du-monde-même-si-on-ne-vit-plus-ensemble).

Jane von Merhen pour m'avoir embauchée, et Stephen Morrison pour ne m'avoir pas renvoyée ; Jordan Goldman et Colleen Buyers pour m'avoir fait faire mon premier stage dans l'édition grâce auquel je suis arrivée chez Penguin, et Josh Poole pour m'avoir fait pleurer de rire tout l'été.

Ma famille, pour leur amour et soutien constant, particulièrement mes parents, Patricia, Ben, John et Kim, pour ne pas m'avoir confisqué la lampe de poche que je cachais sous mon oreiller et pour m'avoir acheté tous les albums de Sweet Valley et/ou d'Archie (contre l'avis de mes professeurs).

Stephen Barbara, mon formidable agent qui m'a obligée à l'épouser ; papa pour ses belles paroles et sa sagesse ; maman, ma plus grande fan, ma meilleure lectrice et amie. Je n'aurais rien pu faire sans vous.

Enfin, tous les garçons qui, depuis la maternelle, m'ont brisé le cœur : merci pour tout. Se venger peut être doux mais se venger par les livres l'est encore plus.

Table des matières

Première partie. En cendres.   11

Deuxième partie. Déni   43

Troisième partie. Colère   131

Quatrième partie. Négociation   253

Cinquième partie. Tristesse   317

Sixième partie. Acceptation   395

Remerciements.   409

Les chansons, les artistes, les albums évoqués
dans les titres de chapitres   414

Les chansons, les artistes, les albums évoqués dans les titres de chapitres

Love is a piano dropped – ANI DIFRANCO, *LITTLE PLASTIC CASTLE*, RIGHTEOUS BABE RECORDS, 1998.
Don't you (forget about me) – SIMPLE MINDS, *THE BREAKFAST CLUB: ORIGINAL MOTION PICTURE SOUNDTRACK*, A&M, 1985.
I will remember you – SARAH MCLACHLAN, *MIRRORBALL*, ARISTA RECORDS, 1999.
Take another little piece of my heart now, baby – BIG BROTHER & THE HOLDING COMPANY, *CHEAP THRILLS*, Columbia Records, 1968.
The cheese stands alone – THE FARMER IN THE DELL, THE ROUD FOLK SONG INDEX, #6306.
Excuse me while I kiss the sky – THE JIMI HENDRIX EXPERIENCE, *ARE YOU EXPERIENCED*, TRACK RECORDS, 1967.
The long and winding road – THE BEATLES, *LET IT BE*, APPLE RECORDS, 1970.
Ooh heaven is a place on earth – BELINDA CARLISLE, *HEAVEN ON EARTH*, MCA RECORDS, 1987.
Your love is better than ice cream – SARAH MCLACHLAN, *MIRRORBALL*, ARISTA RECORDS, 1999.
Only the good die young – BILLY JOEL, *THE STRANGER*, COLUMBIA RECORDS, 1977.
I was walking with a ghost – TEGAN AND SARA, *SO JEALOUS*, SANCTUARY RECORDS, 2005.
Yeah I'm free, free fallin' – TOMMY PETTY, *FULL MOON FEVER*, MCA RECORDS, 1989.
Send me an angel – REAL LIFE, *HEARTLAND*, CURB RECORDS, 1983.
It's in his kiss – BETTY EVERETT, *YOU'RE NO GOOD*, VEE-JAY RECORDS, 1964.
It must have been love – ROXETTE, *PRETTY WOMAN: ORIGINAL MOTION PICTURE SOUNDTRACK*, CAPITOL RECORDS, 1990.
Time after time – CYNDI LAUPER, *SHE'S SO UNUSUAL*, EPIC RECORDS, 1984.
R-e-s-p-e-c-t, finds out what it means to me – ARETHA FRANKLIN, *I NEVER LOVED A MAN THE WAY I LOVE YOU*, ATLANTIC RECORDS, 1967.
Nothing compares 2 u – SINÉAD O'CONNOR, *I DO NOT WANT WHAT I HAVEN'T GOT*, CHRYSALIS RECORDS, 1980.
You ain't nothing but a hound dog – ELVIS PRESLEY, *DON'T BE CRUEL*, RCA RECORDS, 1956.
Total eclipse of the heart – BONNIE TYLER, *FASTER THAN THE SPEED OF NIGHT*, COLUMBIA RECORDS, 1983.
Living on a prayer – BON JOVI, SLIPPERY WHEN WET, MERCURY RECORDS, 1986.
Harvest moon – NEIL YOUNG, *HARVEST MOON*, REPRISE RECORDS, 1992.
Shot through the heart, and you're to blame – BON JOVI, *BON JOVI*, MERCURY RECORDS, 1984.
16 candles make a lovely light – THE CRESTS, COED RECORDS, 1958.

414

Every breath you take – THE POLICE, *SYNCHRONICITY*, A&M RECORDS, 1983.

What becomes of the broken hearted? – JIMMY RUFFIN, *JIMMY RUFFIN SINGS TOP TEN*, SOUL RECORDS, 1966.

1, 2, 3, 4, tell me that you love me more – FEIST, *THE REMINDER*, CHERRYTREE RECORDS, 2007.

Every time I see you falling, I get down on my knees and pray – NEW ORDER, *BROTHERHOOD*, FACTORY RECORDS, 1986.

Hey, hey, you, you, I don't like your boyfriend – AVRIL LAVIGNE, *THE BEST DAMN THING*, RCA RECORDS, 2007.

Losing my religion – R.E.M, *OUT OF TIME*, WARNER BROS. RECORDS, 1991.

Permanently black and blue, permanently blue, for you – CHAIRLIFT, *DOES YOU INSPIRE YOU*, KANINE RECORDS, 2008.

You oughta know – ALANIS MORISSETTE, *JAGGED LITTLE PILL*, MAVERICK RECORDS, 1995.

Cry me a river – JUSTIN TIMBERLAKE, *CRY ME A RIVER*, JIVE RECORDS, 2002.

Don't dream it's over – CROWDED HOUSE, *CROWDED HOUSE*, CAPITOL RECORDS, 1986.

In the arms of an angel – SARAH MACHLACHLAN, *SURFACING*, ARISTA RECORDS, 1998.

California dreamin' – THE MAMAS & THE PAPAS, *IF YOU CAN BELIEVE YOUR EYES AND EARS*, DUNHILL RECORDS, 1965.

Enjoy the silence – DEPECHE MODE, *VIOLATOR*, MUTE RECORDS, 1990.

Just like a prayer – MADONNA, *LIKE A PRAYER*, SIRE RECORDS, 1989.

You must be my lucky star – MADONNA, *MADONNA*, SIRE RECORDS, 1983.

To die by your side, is such a heavenly way to die – THE SMITHS, *THE QUEEN IS DEAD*, WEA RECORDS, 1992.

The climb – MILEY CYRUS, *HANNAH MONTANA: THE MOVIE*, WALT DISNEY RECORDS, 2009.

Who will save your soul if you won't save your own? – JEWEL, *PIECES OF YOU*, ATLANTIC RECORDS, 1996.

Always something there to remind me – NAKED EYES, *BURNING BRIDGES*, EMI, 1983.

Listen to your heart, before you tell him good-bye – ROXETTE, *LOOK SHARP*, EMI, 1989.

Since u been gone – KELLY CLARKSON, *BREAKAWAY*, RCA RECORDS, 2004.

Hit me with your best shot – PAT BENATAR, *CRIMES OF PASSION*, CHRYSALIS RECORDS, 1980.

What a girl wants – CHRISTINA AGUILERA, *CHRISTINA AGUILERA*, RCA RECORDS, 1999.

Let us die young, let us live forever – ALPHAVILLE, *FOREVER YOUNG*, WEA, 1984.

Wake me up inside – EVANESCENCE, *FALLEN*, WIND-UP RECORDS, 2003.

We belong to the light, we belong to the thunder – PAT BENATAR, *TROPICO*, CHRYSALIS RECORDS, 1984.

Somewhere over the rainbow – JUDY GARLAND, *THE WIZARD OF OZ*, MGM, 1939.

How to save a life – THE FRAY, *HOW TO SAVE A LIFE*, EPIC RECORDS, 2005.

All you need is love – THE BEATLES, *MAGICAL MYSTERY TOUR*, CAPITOL RECORDS, 1967.

May you always have love – FROM THE POEM "TO MY MOUSE" BY FRANCIS R. MILLER (a.k.a. PAPA, MY GRANDFATHER), 1998.

Composé par Nord Compo Multimédia
7, rue de Fives, 59650 Villeneuve-D'Ascq
Achevé d'imprimer en janvier 2012
par Normandie Roto Impression s.a.s., Lonrai
Dépôt légal : avril 2012 - N° d'impression : 120052

Imprimé en France